AMSTERDAM RETOUR

Van Kristien Hemmerechts verschenen eerder
bij uitgeverij Atlas:

Kerst en andere liefdesverhalen
Wit zand
Lang geleden
Veel vrouwen, af en toe een man

Kristien Hemmerechts

Amsterdam retour

Uitgeverij Atlas – Amsterdam / Antwerpen

Uitgeverij Atlas maakt deel uit van Uitgeverij Contact

© 1995 Kristien Hemmerechts
Omslagontwerp: Marjo Starink
Foto auteur: Klaas Koppe
Typografie: John van Wijngaarden

ISBN 90 254 1283 1
D/1995/0108/577
NUGI 300
CIP

INHOUD

Amsterdam retour

Nederland. Verste herinnering. We worden tegengehouden aan de grens. Voor één keer hebben we niets gesmokkeld. Geen boter, geen sigaren en ook geen jenever. De douanebeambte gelooft mijn vader niet, de wagen wordt ongeveer uit elkaar gehaald. Ten slotte mogen we gaan. We zijn de grens niet overgestoken om te gaan smokkelen, maar wel om meubels te bestellen, een tafeltje en drie armstoelen, want die zijn in Nederland goedkoper. Een van de drie stoelen krijg ik jaren later mee als ik naar Amsterdam verhuis, en laat ik daar bij een vriend achter als ik in Londen ga wonen. De andere twee komen in Frankrijk in het huisje van mijn ouders terecht.

Zondagmiddag bij mijn ouders aan tafel. We moeten zwijgen. Mr G.B.J. Hiltermann heeft het over de toestand in de wereld. Ik luister niet, hoor alleen maar klanken, harde, hoekige klanken die mijn broer, mijn zus en ik nabootsen als mijn vader uit de buurt is. We laten ze klinken alsof de meester fascistisch Duits sprak. Later schaft mijn vader zich een koptelefoon aan. Nu laat hij zijn eten koud worden en zit bij de radio met die koptelefoon op zijn hoofd naar de meester te luisteren. Als mijn moeder hierover een opmerking maakt, zegt hij: 'Bij jou is het ook nooit goed.' Willen we mijn vader op zondag bij ons aan tafel, dan moeten we de meester erbij nemen.

Een meisje in mijn klas heeft een Nederlandse moeder. Als ze terugkomt van een vakantie bij haar Nederlandse familie, kent ze een nieuw woord: debiel. En ze is geen maagd meer. De grens met Nederland is niet langer een economische grens, maar een morele. Niet boter, sigaren en jenever moeten worden tegengehouden, maar drugs en seksuele vrijheid. Nederland, zo wordt gezegd, rekent in ijltempo af met zijn strenge, calvinistische verleden. Het land is een op hol geslagen paard en het hek is van de dam. In Vlaanderen worden de ontwikkelingen huiverend gevolgd.

Toch zegt mijn vader naar Nederlands voorbeeld 'trem' in plaats van 'tram', 'zeuven' in plaats van 'zeven', 'joggert' (met doffe 'e') in plaats van 'joegoert'. Wij – zijn kinderen – vinden dit vreselijk bekakt. Als hij ons, wanneer we samen in de bergen gaan kamperen, maant om 's nachts een 'borstrok' aan te trekken, bulderen we van het lachen. Ook mijn moeder kan nauwelijks haar lach verbijten. Zij koopt voor ons 'wollen onderlijfjes'.

Mijn vader doet vaak aan hypercorrectie. Dan heeft hij het over regenscherm, geldbeugel, voetpad. In mijn klas zit een meisje dat Van Lul heet. Lul rijmt op 'snul' en 'knul', maar daar houden de pesterijen op.

De familie Van Lul heeft haar naam laten veranderen. In Van Lil. Mijn vader zegt nu ook 'paraplu', 'portemonnee' en 'trottoir'.

Over Nederland schrijven blijkt voor mij te betekenen: over taal schrijven. Niet mijn moedertaal, de taal die ik ratel en roddel en keuvel met mijn moeder, en die bol staat van contaminaties; de taal waarin van de hak op de tak wordt gesprongen en zinnen zelden worden afgemaakt; de gezellige, elliptische, koffiekletsende taal waarin ik zonder blikken of blozen zeg: 'Mama, koop je nog eens van die lekkere, warme onderlijfjes voor me?'

De contaminaties in de taal van mijn moeder, mijn moedertaal. Mijn moeder is een grensgeval: haar vader kwam uit Wervik, haar moeder uit Menen, gemeenten in West-Vlaanderen bij de grens met Frankrijk waar – ik citeer mijn moeder – niet werd gewerkt maar gesmokkeld, gespeculeerd en gehoereerd. Haar familie uitgezonderd, natuurlijk. Hoewel. Was het haar grootmoeder of een buurvrouw die een baal zijde – 'soie naturelle' – in Frankrijk ging kopen, om zich heen wikkelde en er zo de grens mee overstak? En was het diezelfde grootmoeder of buurvrouw die een kilo boter onder haar hoed wilde smokkelen, maar zo lang moest aanschuiven bij de grens dat de boter begon te smelten en in straaltjes over haar gezicht liep?

De laatste tijd hoor ik die verhalen opnieuw, nu uit de mond van mijn dochter, in wie mijn moeder een gretig publiek vindt. Waarmee ik maar wil zeggen dat je bij mijn moeder nooit weet waar de historische familiekroniek eindigt en de mythische begint. Het is een familietrek. Haar moeder – mijn grootmoeder – laat graag doorschemeren dat ze afstamt van een zekere Sophie, die de maîtresse van een van Napoleons raadgevers zou zijn geweest. Dit lijkt mij een fantastisch verhaal.

Maar er zijn ook feiten. Mijn moeder werd op haar tiende naar kostschool gestuurd, niet omdat haar ouders haar het huis uit wilden hebben, maar omdat er degelijk onderwijs werd geboden. Die kostschool, die in het Nederlandstalige gedeelte lag, kende een merkwaardig tweetalig regime. De ene week mocht er drie dagen alleen Frans worden gesproken en vier dagen alleen Nederlands, de week daarop werd de verhouding omgekeerd. Het resultaat hiervan is dat mijn moeder zich vlot uitdrukt in het Frans, maar dat in het Nederlands dat ze spreekt weleens Franse en ook Westvlaamse uitdrukkingen en zinswendingen sluipen. Haar moedertaal is mijn moedertaal niet, en geen van beiden spreken we onze moedertaal nog. We zouden dat ook niet meer kunnen. Mijn moeder spreekt alleen nog met haar moeder het Westvlaams van de grens – 'de frontiere' – maar zelfs ik hoor hoe weinig Westvlaams dat klinkt na al die jaren dat ze in Brabant heeft gewoond. Ik heb mijn taal verhollandst en gezuiverd. Een 'tas' koffie is een 'kop' koffie geworden, zelfs als ik die met mijn moeder drink. Soms vraag ik haar lachend, nostalgisch, een Westvlaams 'sjatje kafé'.

Mijn moeder zegt tegen mijn vader: 'Daar kunt ge u aan verwachten.' Mijn vader antwoordt: 'Zeg maar: dat kan je verwachten.' En dan het gehate zinnetje: 'Je mondje zal er niet van scheuren.' Toen mijn vader destijds mondeling examen afnam, probeerde hij altijd de afkomst van zijn studenten te raden. Hij ging er prat op dat hij meestal de spijker op de kop sloeg. Hooguit zat hij er enkele dorpen naast. Maar de studenten joeg hij met dit spel de daver op het lijf. Die waren ervan overtuigd dat ze zich op een niet toegestane manier hadden blootgegeven. En dat hadden ze in zijn ogen – of juister, in zijn oren – in zekere zin ook gedaan. Daver. Ik heb mijn twijfels. Ik sla het in Van Dale na en lees: daver (Zuidned.). Foert, denk ik en laat het staan.

Erfelijke belasting. Er zijn dialectklanken die ik niet kan aanhoren. Het overkomt me – in de trein of in een winkel – dat ik nauwelijks de aandrang kan onderdrukken om mensen te vragen te zwijgen. Excuseer mijnheer, excuseer mevrouw, zoudt u alstublieft uw mond willen houden, de klanken die u produceert zijn een aanslag op mijn gehoor. Als mijn dochter zegt: 'Kunde da bewaren in uw zak voor me?' zeg ik: 'Tas. Of ik dat voor je kan bewaren in mijn tas.' 'Gij spreekt just zoals opa,' grommelt ze dan. Maar als mijn moeder bij mijn vader examen zou moeten afleggen, zou hij verdomd aandachtig moeten luisteren om haar Westvlaamse afkomst op het spoor te komen.

Over Nederland schrijven is schrijven over taal is schrijven over het vreemde verschil tussen mijn moedertaal en mijn vadertaal.

Over Nederland schrijven is schrijven over taal is over mijn vader schrijven. Wat niet wil zeggen dat Nederland mijn vaderland is. Toen ik mijn vader vertelde dat ik een jaar in Amsterdam zou gaan studeren, zei hij: 'Ik zou me geruster voelen als je een jaar naar China trok.' In 1977 was Amsterdam synoniem voor seks, drugs en rock 'n roll. Hippies en punks waren wezens die wij eigenlijk alleen op de tv hadden gezien. Ik met afgunst, mijn vader met afgrijzen. Dat zootje dat het Vondelpark had ingepalmd. Mijn vader verklaarde in die tijd aan een interviewer dat je van mensen die hun tanden niet poetsten, onmogelijk kon verwachten dat ze hun taal zouden verzorgen. Dat sloeg, veronderstel ik, op de Vlaamse hippies. Die hij niet kende.

Mijn vader kan symbool staan voor een bepaalde Vlaamse emancipatiegedachte: emancipatie via taal. Wilde Vlaanderen zich economisch en politiek bevrijden, dan moest het eerst een eigen culturele identiteit verwerven. Daartoe moest Vlaanderen zich leren uitdrukken in een volwaardige taal. Geen taaltje maar een taal. Met regels die worden gerespecteerd en een uitgebreide woordenschat. Toen mijn vader veertien was, besloot hij ABN te gaan spreken, Algemeen Beschaafd Nederlands. Dat was geen verwerpen van zijn afkomst, integendeel, mijn vader is de trotse zoon van Brabantse boeren, maar met alle respect voor het verleden en de traditie was het nu tijd om een stap voorwaarts te zetten, de stap naar een beschaafde en uniforme omgangstaal, naar de welsprekendheidstoernooien en de ABN-week. Zeg niet. Zeg wel. Je mondje zal er niet van scheuren.

Er was altijd iets met mijn vader. Hij was anders dan andere vaders. Hij sprak keurig. Als een woordenboek. Als kind merkte ik dat vooral aan de manier waarop mensen verwachtten dat ook ik keurig zou spreken. En dat het mij verboden zou zijn om strips te lezen (die toen tekenverhalen werden genoemd). Mijn vader, die toen journalist was, kon het nieuws voorlezen zonder éénmaal naar zijn blad te kijken. Hij las het dus niet voor, maar zei het uit zijn hoofd op. Dat was – welteverstaan – lang voor *autocues* werden gebruikt. Ik herinner me niet mijn vader ooit het nieuws uit zijn hoofd en in keurig Nederlands te hebben zien – of juister, horen – opzeggen, maar nu nog gebeurt het vrij regelmatig dat na een lezing wat oudere mensen naar me toe komen. Ik weet zo wat ze zullen zeggen. Dat ik zo op mijn vader lijk. En dat hij het nieuws voorlas zonder naar zijn papieren te kijken.

Mijn vader was niet alleen actief als voorzitter van diverse welsprekendheidstoernooien, maar organiseerde ook menige 11-juliviering ter herdenking van de Guldensporenslag, toen Vlamingen een overwinning behaalden op het Franse leger. Dat was in 1302. Mijn vader is geen vlaggezwaaier, geen nationalist, geen – god beware – fascist, en toch organiseerde hij die vieringen waarop het Vlaamse bewustzijn trots werd geëtaleerd. Ik krijg nu *De Vlaamse Leeuw*, het lied van de Vlaamse Gemeenschap, niet meer over mijn lippen, maar het is natuurlijk een luxe om zo'n verklaring te kunnen afleggen. Vroeger was ik op dat vlak een stuk strijdlustiger, omdat ik toen op de grens met Brussel woonde én omdat er een reële bedreiging uitging van de Franstalige gemeenschap, die maar al te graag het Nederlands als landstaal had verbannen. Daarom moest je die taal ook goed spreken natuurlijk, om de Franstaligen niet de kans te geven haar minachtend te bestempelen als 'un petit patois'.

De Vlaamse jeugdclub in Laken, een gemeente van Brussel. Een fuif. Franse jongens stappen met zware laarzen naar binnen. 'Ça pue le Flamand ici,' zegt de aanvoerder en spuwt op de grond. Tafels worden omgegooid, er wordt gevochten, de fuif is afgelopen. Ik voel een diepe, blinde haat, die ik me maar hoef te herinneren om te begrijpen hoe Palestijnen, Ieren of Koerden zich voelen. Waarom ze met stenen of bommen gooien. Je wordt afgewezen vanwege de taal die je spreekt. Je wordt afgewezen zonder dat men zich de moeite heeft getroost je te leren kennen. Ik heb nog altijd moeite met een bepaald soort plat, vlak Belgisch Frans. Brusselse-madammen-Frans. Bontjassen-en-haarlak-Frans. Als ik dat in Antwerpen, waar ik nu woon, in een winkel hoor, draai ik me om en staar. Maar ook zonder te kijken ken ik het type. Luister naar Jacques Brels *Les bonbons*. Dat Frans. En dat type. Is dit racistisch? Allicht. Maar zij zijn begonnen.

'De plomb is kapot!'

'Zeg maar zekering, je mondje zal er niet van scheuren.'

Ik ben er vrij zeker van dat ik als enige in mijn klas het Nederlandse woord voor 'plomb' kende. Maar de Nederlanders beginnen nu Engels te spreken. Wonen niet meer in Nederland maar in The Netherlands. Op de voorjaarsaanbieding van mijn uitgeverij staat 'Spring'.

Engels mag, Frans niet. Ik schrijf in een verhaal de zin: 'Straks had hij de hele stad om in te verdwijnen.' 'Dat is een mooie, poëtische zin,' zegt mijn redacteur. Ik denk: Dat is eigenlijk een Engelse zinswending: he had the whole city to disappear in. Omdat ik vrij veel Engels spreek en lees, bezondig ik me weleens aan deze vorm van contaminatie. Vreemd genoeg worden dergelijke versprekingen op een glimlach onthaald. Er wordt nooit driftig met een rood of groen boekje gezwaaid. Letterlijk uit het Engels vertaald Nederlands is poëtisch. Letterlijk uit het Frans vertaald Nederlands is een gallicisme.

Wat betekent het voor mensen om zodra ze praten met mensen die niet tot hun directe, vertrouwde omgeving behoren, een onvoldoende te krijgen voor taal? Ze worden gecensureerd of censureren zichzelf. Timide buigen ze het hoofd en houden hun mond.

Mijn vader gaf vroeger taaltips op de radio, volgens het geijkte zeg niet-, zeg wel-patroon. Zo bestaat er het – vermoedelijk apocriefe – verhaal dat hij ooit aan de luisteraars uitlegde welke woorden je nodig hebt om secuur te beschrijven hoe je een fietsband repareert. Toen hij na afloop van zijn praatje naar huis wilde gaan, merkte hij dat zijn auto een platte band had. En moest hij de hulp inroepen van een vrouwelijke collega die toevallig passeerde, om die lekke band te repareren. Mijn vader heeft een sterkere band met taal dan met werkelijkheid. Als we hem als kinderen opgewonden vertelden wat we hadden meegemaakt, was het niet ongebruikelijk dat hij eerder inging op hoe we het gezegd hadden dan op wat we hadden gezegd. Het huis lag vol briefjes waarop hij de taalfouten noteerde die hij op de radio of op de televisie had gehoord. De betrokken persoon kreeg dan een nota waarin hij of zij werd geattendeerd op zijn of haar fout, en ook de verbetering werd meegedeeld. Toen ik voor de krant *De Morgen* begon te schrijven, stuurde hij ook naar mij zulke berichten. 'In D.M. 4.1.88, blz. zoveel, regel zoveel: Niet…, maar wel… Paps.' Die nota's arriveerden in eerder gebruikte enveloppen. Er zat geen postzegel op. Hij moest dus met de wagen of per fiets tot bij mijn huis gereden zijn om die nota af te geven. Maar hij had niet aangebeld.

Een vlammende ruzie. Ik heb voor het eerst een verhaal in het Nederlands geschreven en laat het mijn vader lezen. Hij verdwijnt ermee naar zijn werkkamer, ik blijf kletsen met mijn moeder. Hij komt naar beneden en geeft me mijn tekst. 'Mooi,' zegt hij. Ik zie dat hij een aantal zinnen met Tipp-Ex heeft uitgewist en daarna heeft gecorrigeerd. Ik kan mijn ogen niet geloven. Ben met stomheid geslagen. Als ik eindelijk mijn verbijstering kan verwoorden, zegt hij: 'Nu heb je er nog een trauma bij om over te schrijven.' Mijn moeder gebiedt me met haar ogen om mijn mond te houden. Er wordt soep uitgeschept.

In het verhaal 'De zesde van de zesde van het jaar negentienzesenzestig' leest de dochter de brief van de vader niet. In 'Woorden' verbrandt de zoon de boeken en artikelen die de vader heeft geschreven. In 'Een zuil van zout' zit de vader aan een bureau voor een blad papier waarop niets is geschreven. Niet de vader maar de vadertaal, of juister, de vader als taalcensor, wordt hier vermoord. Om te kunnen spreken. Schrijven. Het ironische van de hele zaak is dat als ik nu in een roman of kort verhaal bijvoorbeeld het woord 'onderlijfjes' in de betekenis van 'hemdjes' zou gebruiken, het onverbiddelijk zou worden weggeredigeerd, tenzij ik expliciet had aangegeven dat het een bewuste keuze betrof. Dat was ook al het geval toen ik nog bij een Vlaamse uitgever publiceerde. Als ik schrijf, ben ik dichter bij mijn vadertaal dan bij mijn moedertaal. Dialogen schrijf ik soms in een eerste versie zoals ik inwendig mijn moeder hoor praten, maar achteraf schaaf ik ze bij. Het heeft te maken met consistentie, geloof ik. Ik zou niet consistent een streektaal kunnen hanteren, dus moet het maar consistent volgens Van Dale.

Ten slotte. De eerste verhalen die ik schreef, schreef ik in het Engels. Als mijn vader iets van me leest waar hij zeer enthousiast over is, schrijft hij me een brief in het Duits. En moet ik er een woordenboek bij raadplegen. Mijn vader is mijn beste lezer. De meest zinvolle dingen die ik naar mijn gevoel over wat ik schrijf heb gehoord, komen van hem. Via die Duitse brieven.

Zeg niet: tweehonderd grammen kaas in sneetjes.
Zeg: twee ons kaas in plakjes.
Dan ontdek je dat Amsterdammers kaas in een stuk kopen en er zelf met een kaasschaaf plakjes afsnijden.
Het verschil tussen twee culturen is soms zo klein als dat. Kaas in een stuk in plaats van kaas in sneetjes. Maar je voelt je wel idioot als je in Amsterdam kaas in sneetjes bestelt.

De Vlaming die in Nederland gaat wonen, maakt daar binnen de kortste tijd dingen mee die alle clichés over Nederland bevestigen: de hoge frequentie van de Belgenmoppen, de zuinigheid, de organisatiedrift, de permissiviteit, de hilariteit om Vlaamse uitdrukkingen. Gegier bijvoorbeeld als ik tijdens het afwassen vraag waar de 'potten' staan. Of neem nu die plakjes kaas. Die hebben niet alleen een andere naam, maar zijn ook dunner dan bij ons. Geen sneetjes inderdaad, maar plakjes lucht.

Zaterdagavond. We gaan met een achttal mensen naar de kroeg. In Nederland ga je naar de kroeg, in Vlaanderen ga je op café. Als ik een roman schrijf die in Nederland zal worden uitgegeven maar in Vlaanderen speelt, laat ik mijn personen dan op café gaan of naar de kroeg? Maar goed, we zijn dus in een Amsterdamse kroeg en de barman streept op een lei aan hoeveel pilsjes er worden gedronken. Rond middernacht wordt aarzelend aanstalten gemaakt om naar huis te gaan. Iemand schiet recht, kondigt aan dat andere verplichtingen dringen en verdwijnt. Iemand anders volgt het voorbeeld, en nog iemand en nog iemand. De barman maakt op zijn lei de optelsom, de overgebleven naïevelingen betalen.

Een bizar staaltje Hollandse zuinigheid. Een jongen zegt dat hij graag bij me zou blijven slapen. Als ik weinig enthousiast reageer, verzekert hij me dat er toch niet veel zal gebeuren. Hij heeft de volgende dag een afspraak met de spermabank en mag geen zaad verloren laten gaan. Naar de kroeg gaan zonder centen, naar bed gaan zonder zaad. Van diezelfde jongen kreeg ik toen ik trouwde als cadeau de tijdschriften die hij van me had geleend. Hij had ze mooi ingepakt en gaf ze met veel zwier af.

Er zijn niet meer gierige Nederlanders dan gierige Vlamingen, maar gierigheid en zuinigheid nemen in Vlaanderen een andere plaats op de nationale waardenschaal in. Bij ons is gierigheid iets wat je angstvallig verborgen probeert te houden. Een gierige Vlaming gaat niet op café en ook niet naar de kroeg. Gierig ben je achter gesloten gordijnen en neergelaten luiken. Nederlandse huizen hebben geen rolluiken. In een top-tien van na te streven deugden zouden gulheid en gastvrijheid in Vlaanderen ongetwijfeld hoger scoren dan in Nederland, maar dat betekent niet dat Vlamingen daadwerke-

lijk guller zijn. Integendeel, misschien. Bij groots opge-
zette geldinzamelacties voor diverse goede doelen tasten
Nederlanders dieper in hun portemonnee dan Vlamingen. Vlamingen redeneren anders. Niemand hoeft te weten hoeveel geld je overmaakt aan een liefdadigheidsor-
ganisatie, maar als je volk over de vloer krijgt wordt met
argusogen gekeurd welk eten op tafel komt, en met hoeveel zorg die tafel is gedekt. (Zeg in Vlaanderen niet: Ik
krijg bezoek vanavond. Zeg wel: Ik heb volk vanavond.)
Gulheid is in Vlaanderen een deugd die vooral voor het
oog van de wereld wordt beoefend. Men mag zich niet
laten kennen. Wat wil zeggen dat men liever een week-
lang achter die gesloten gordijnen van water en brood
leeft dan 'volk' een karige maaltijd aanbiedt.

De paradox van de zogeheten Vlaamse gulheid en de
Nederlandse zuinigheid is dat er in Nederland makkelij-
ker wordt uitgenodigd omdat de normen niet zo hoog
liggen. Als je in Vlaanderen iemand uitnodigt, moet het
er expliciet gul en gastvrij toegaan. Het moet een beetje
overdadig zijn met té veel eten en té veel drank, anders
wek je de indruk dat je gasten niet welkom waren. Dus
ga je minder vaak mensen uitnodigen, want het is telkens zo'n onderneming. Of neem nu bloemen. Als ik in
Nederland een lezing geef, ga ik bijna altijd met bloemen naar huis. In Vlaanderen gebeurt dat minder vaak,
maar als ik dan toch een ruiker krijg, dan is die duidelijk
met meer zorg en met veel duurdere bloemen gemaakt,
zodat alleen organisaties die bij kas zijn zo'n boeket
kunnen betalen.

Vlamingen zijn dus stugger en guller dan Nederlanders. Guller eenmaal dat ze iemand in hun huis hebben
gelaten, stugger omdat ze er zoveel langer over doen eer
het zover is. Voor Vlamingen kan de vrij snelle overstap
die Nederlanders maken van formele naar informelere

omgangsvormen verwarrend zijn. Het woord 'lieve' als aanspreektitel in een brief bijvoorbeeld is bij ons gereserveerd voor intieme vrienden of geliefden, maar wordt in Nederland veel couranter gebruikt. Hoe moet je dat inschatten? Wat betekent het? Een andere cultuur, zelfs een aangrenzende cultuur, is een mijnenveld. Om op een correcte manier het subtiele sociale spel mee te spelen moet je de regels eigenlijk met de moedermelk hebben meegekregen.

Zaterdagmiddag. Amsterdam Centraal. Mijn eerste veertien dagen in Amsterdam zitten erop. In de hal van het station zie ik twee jongens die op dezelfde verdieping wonen als ik. 'Wat heb jij een grote tas bij je,' zeggen ze alsof ik Roodkapje was op weg naar mijn grootmoeder. Maar ik ben een Vlaamse op weg naar mijn moeder, op weg naar iemand die me zakgeld geeft, de was voor me doet en lekker eten voor me kookt. 'Ik ga naar huis,' zeg ik. 'Voor hoe lang dan?' 'Tot zondagavond.' Ze staren naar de tas. 'De was,' zeg ik verontschuldigend.

Tweeëntwintig jaar zijn, studeren in Amsterdam en met de was naar je moeder gaan, dat kan niet in Nederland. Voor mij betekent naar huis gaan nog altijd naar mijn ouders gaan. Naar het nest. Hoe ontgroeid ik dat ook mag zijn, hoe weinig ik daar nog thuishoor. Maar in Amsterdam werd me gezegd dat thuis de plek was waar je op dat ogenblik toevallig woonde, waar je die nacht toevallig sliep. Familiebanden in Vlaanderen zijn tentakels. Een Vlaamse moeder is niet zomaar een wezen dat je als ze jarig is met zo'n Hollands ruikertje in de hand gaat opzoeken. Die paai je niet met bloemen. Daar maak je niet een vriendin of zus van. Die blijft je moeder. Die in het nest troont. Die haar kinderen daar verwacht. Ach, wat weet ik over Nederlandse moeders. Om over Nederland te schrijven moet ik het stellen met een aantal beelden, voorvallen, anekdotes. Vlaanderen zit in mijn bloed, mijn genen. Vlaanderen waar Vlamingen thuis zijn.

In Nederland voel ik me vaak in een toneelstuk. Ik ben niet mezelf, nee, ik acteer Vlaming die zich aanpast aan Nederland. Die haar accent bijschaaft. Die woorden als 'leuk' en 'balen van' in de mond neemt. Die zich gedraagt als een onverbeterlijke taalkameleon. Als mijn dochter me aan de telefoon in gesprek hoort met Nederlanders, zegt ze: 'Mama, gij spreekt zo raar.' Noordnederlands is dominant. Net zoals de kans groot is dat een kruising tussen een blonde en een zwartharige ouder resulteert in kinderen met zwart haar, zo overweegt bij een ontmoeting tussen Noord en Zuid het Noordnederlandse accent. Vroeger was ik bevriend met een meisje dat Nederlandse ouders had maar in België was geboren en hier ook altijd naar school was gegaan. Toch sprak ze Nederlands met een onvervalst Hollands accent.

Als ik Nederlanders zou tekenen, dan zou ik lange mensen tekenen, met hun hoofd in de wolken. Vlamingen zou ik grote voeten geven en een gekromde rug. Het is in Vlaanderen niet ongewoon dat mensen het stuk land naast of tegenover het eigen huis kopen om dat in één, twee of drie stukken te verdelen voor de kinderen. Grond, een stukske grond, het is de basis van de Vlaamse manier van leven. Grond en een eigen huis, het liefst zo dicht mogelijk bij het ouderlijk huis. Je kunt hier met grote stelligheid horen verklaren dat mensen die drie straten verder wonen een totaal andere mentaliteit hebben. Een andere wijk, een ander gehucht, een ander dorp, een ander nest, en dus niet te vertrouwen. Nee, nomaden of avonturiers zijn we niet. En daar wordt een hoge prijs voor betaald. Het land is verkaveld, in talloos veel stukskes grond versneden, met daarop huizen en tuinen en volk dat ontvangen wordt. Nederlanders gaan wonen op grond die tot voor kort geen grond was. Grond zonder geschiedenis. Zonder familiebanden. Een Vlaming begrijpt dat niet.

Vanuit Brussel Centraal vertrekt om het uur, veertien minuten over het hele uur, van perron vijf een trein richting Amsterdam. 'Amsterdam, heen en terug, alsjeblieft,' vraag ik aan het loket, maar ik word niet begrepen en zeg nu: 'Amsterdam retour', en weet niet of dat 'retour' nu Frans of Hollands is. Ik ben twee-, drie-, viertalig. Er is in mijn kop een eindeloze ontdubbeling van talen aan de gang, Brabants, ABN, verhollandst Nederlands, Brussels Frans, Frans Frans... En zoals mijn taal ontdubbelt, ontdubbel ik. Mijn grootmoeder, de moeder van mijn vader, sprak één taal en had één identiteit, maar dat is misschien een nostalgische, romantische interpretatie van mij. Hoe dan ook, de warme wafel die ik op weg naar perron vijf aan een kraampje koop moet ik in het Frans bestellen, en in mijn tas zit een Engels boek voor onderweg. De Brusselse anonimiteit van het linguïstische raadsel: Welke taal spreekt de persoon die in de tram tegenover me zit of op het perron naast me staat? – Als je niemand aanspreekt is het probleem uitgeschakeld. Is het daarom dat Nederlanders zoveel meer en zoveel luider praten dan Vlamingen?

Ik daal de trappen af naar perron vijf, de trein rijdt het station binnen, en ik herinner me die eerste keer dat ik alleen de trein naar Amsterdam nam en bij aankomst de stad door een waas van tranen zag. Nu is Amsterdam de stad waar de boeken die ik schrijf worden uitgegeven. In interviews noem ik Amsterdam de culturele hoofdstad van het Nederlandstalige gebied. Aan buitenlanders leg ik het zo uit. Ik spreek Nederlands. De verschillen tussen wat men in Vlaanderen spreekt en wat men in Nederland spreekt, zijn vergelijkbaar met de verschillen tussen Amerikaans en Brits Engels, maar het gaat in beide gevallen om Nederlands. O, zegt men dan met verholen verwondering, zit dat zo? Ja, dat zit zo. Laat mij, geboren in het hart van Brussel, alsjeblieft ook Nederlands spreken. Veroordeel mij niet tot Vlaams. Sluit mij niet op in zo'n klein gebied. Vlaanderen mijn land. Fier Vlaming te zijn. (Zeg niet: fier. Zeg: trots.) Vraag, gesteld op literaire avond in Nederland aan Vlaamse schrijfster van wie het werk wordt uitgegeven in de culturele hoofdstad van het Nederlandstalige gebied. 'Mevrouw, hoe komt het dat u zo vlot Nederlands praat?' Of: 'Waar hebt u Nederlands geleerd?'

Zouden de Nederlanders het Nederlands van de Vlamingen willen afschudden zoals ze destijds het Nederlands van de Afrikaners hebben afgeschud? Dat is geen Nederlands, maar Afrikaans. Jaren geleden heb ik ooit een proefvertaling gemaakt in opdracht van een Nederlandse uitgeverij. De proefvertaling werd geweigerd. Toen ik vroeg wat eraan scheelde werd me gezegd: 'Het moet wel Nederlands zijn.'

Maar ik sta nog altijd op perron vijf in Brussel en stap op een van die mooie internationale treinen van de Nederlandse spoorwegen. Ik heb een plaatsje bij het raam, neem niet mijn Engelse boek maar een Nederlandse krant uit mijn tas en begin te lezen. Mijn concentratie wordt voortdurend gebroken door geluid dat ik met kauwgom en met snerpende remmen associeer: Nederlanders in gesprek. Nederlanders lijken hun woorden eerder te kauwen dan te articuleren. En hun stembanden lijken anders afgesteld dan de onze, de toon van hun stem ligt hoger. Ze doen pijn aan mijn oren, die stemmen, ze rukken mijn oor binnen als opdringerige mannetjes. Ze hebben meningen en verkondigen die met grote stelligheid. Ik ben als de prinses die door een stapel matrassen heen toch nog de erwt voelt. Met hoeveel was ik mijn oren ook toestop, ik zal die stemmen blijven horen. Bewuste, zelfverzekerde stemmen. Stemmen die opkomen voor zichzelf. En voor hun rechten. Ik geef het op en leg de krant neer, een Nederlandse krant. Dat is een ander verhaal, die Nederlandse krant, en Vlamingen die Nederlandse kranten lezen, al bekommert geen Nederlander zich om een Vlaamse krant. Waarom lezen Vlamingen Nederlandse kranten? Om kennis te nemen van de meningen die erin worden geformuleerd.

Ik luister en probeer niet te luisteren en denk aan kauwgom omdat de taal die ik hoor niet echt lijkt. Het is een plastic taal, gesproken door plastic mensen; het is een taal die ik eerder parodieer dan spreek; het is de taal van G.B.J. Hiltermann en giechelende imitaties met mijn broer en zus als mijn vader het niet kon horen. Het racistje in mij is nu goed en wel wakker. Het is een duiveltje met twee horentjes op zijn kop en een lange staart. Hij fluistert in mijn oor: 'Hoor die keeskoppen toch eens bezig! Wat een arrogantie!'

De trein rijdt Antwerpen binnen, heel wat Vlamingen stappen uit, ook de Vlaamse kaartjesknipper. Eenmaal over de grens, nog voor Roosendaal, komt zijn Nederlandse collega de coupé binnen. Met luide stem begroet hij de reizigers en maakt met drie prachtige volzinnen duidelijk dat hij de kaartjes wil zien. Het lijkt wel of Sinterklaas zijn ronde doet, want voor iedere reiziger heeft hij enkele woorden commentaar. 'Wat een aansteller,' sist het duiveltje in mijn oor, maar ik ontspan me en geniet van de verbaliteit en hartelijkheid van de kaartjesknipper. Wat heerlijk, ik ben in Nederland! In Roosendaal glipt mijn duiveltje verslagen naar buiten. Er zitten nu vooral Nederlanders in de trein.

Ik sluit mijn ogen, droom weg, hoor hun stemmen kabbelen in mijn oor. En nu denk ik aan een andere situatie: op school, een tweetalige school in het Brusselse, wat wil zeggen een school met een Nederlandstalige en Franstalige afdeling, maar met een gemeenschappelijke speelplaats. De leerlingen kwamen uit dezelfde buurt, dezelfde straten, maar toch hoorde je niet alleen maar zag je ook wie Nederlandstalig was en wie Franstalig. Waaraan zag je dat? Aan subtiele verschillen in kleding, fysionomie, haardracht, gebaren en motoriek, verschillen die even ongrijpbaar en ondefinieerbaar zijn als de kenmerken op basis waarvan ik op de Meir in Antwerpen met vrij grote zekerheid de Nederlanders eruit pik nog voor ze binnen hoorbereik zijn. Het zijn minuscule vormen van anders-zijn. Anders-zijn dat dicht bij gelijk-zijn ligt, maar dat toch alle tegenstrijdige gevoelens oproept van een confrontatie met het andere. Nieuwsgierigheid. Spot. Angst om afgewezen te worden. Herkenning. Bedreiging. Protectionisme. Ik hield niet van die Franstalige meisjes op mijn school omdat zij niet van mij hielden. Zij waren in staat tot zinnen als: 'Ça pue le Flamand ici.' Maar Nederlanders wijzen me niet af. Ze geven me zelfs uit.

De trein rijdt Amsterdam Centraal binnen. In de stationshal en op het stationsplein word ik overweldigd door kleuren en klanken en bloemen en muziek. Waar halen Nederlanders het idee vandaan dat Vlaanderen zo gezellig zou zijn? Ik herinner me de doodse stilte in Brussel Centraal, en glimlach om de drukte, de chaos, het leven. Zakkenrollers, denk ik, en klem mijn tas stevig onder mijn arm. Dan steek ik het plein over.

Achttien korte stukjes over Australië

1. EEN OUDE DROOM

Uren heb ik gesleten op het lapje grond – wat gras, rozen, een struik of twee – dat de tuin van mijn ouders was. Ik had een innige verhouding met de haag, zijn witte bloempjes in de lente, het onkruid dat erin parasiteerde. Door het gat in de haag praatte ik met mijn buurmeisjes of brak uit onze tuin in die van hen. Wat niet mocht. Wij, kinderen uit dezelfde buurt, speelden samen op straat. Vaag herinner ik me een zomeravond waarop we met zevenmijlslaarzen over de hagen stapten en van al die lapjes grond ons park maakten. Ik wist heel vroeg dat ik kon en zou uitbreken. Wat me bezighield was het besef van leven aan de andere kant van de bol. Ik keek naar de grond en dacht aan de diepe put die ik zou moeten graven. De tunnel.

2. EEN FABELTJE

Het water kolkt met onbeschofte slurpgeluiden uit het bad weg alsof iemand het in de leiding gulzig opzuigt. Dan zie ik dat het niet waar is wat me altijd over Australië is verteld: ook hier kolkt het water met de wijzers van de klok mee.

3. DE DAGEN VAN DE WEEK

Waar houdt het op? vraagt mijn dochter als ik haar vertel dat Sydney acht uur voorloopt op ons. Wat zij beseft moet ik in mijn atlas opzoeken: er loopt een datumgrens over de wereldbol die ongeveer de 180° lengtecirkel volgt, dat wil zeggen waar ooster- en westerlengte elkaar raken, dat wil zeggen tegenover de nulmeridiaan van Greenwich. In het noorden wijkt hij even uit naar 170° westerlengte om keurig door de Beringzee te lopen zodat het overal in de voormalige Sovjetunie dezelfde dag is. Verder naar het zuiden buigt hij naar 170° oosterlengte af omdat de eilandengroep de Aleoeten bij de Verenigde Staten hoort. Hij slalomt tussen Tonga en Samoa door en komt bij 50° zuiderbreedte weer op de 180° meridiaan.

Als het in Alaska zondag één uur 's morgens is, is het in België zondag één uur 's middags en in Nieuw-Zeeland zondag twaalf uur 's nachts. En wordt het dus maandag.

Meer naar het noorden is het op de Aziatische oever van de Beringstraat maandag, op de Amerikaanse zondag.

4. HET POLITIEREGLEMENT

Het is verboden om op het balkon van een bus met de chauffeur te staan kletsen. Boete A$ 20.

Het is verboden om aan jongeren onder achttien jaar alcohol of sigaretten te verkopen. Boete: A$ 2000.

Het is verboden om op het strand schelpen en weekdieren te verzamelen. Boete A$ 5000.

Australiërs willen – net als de Britten – door middel van reglementen en verordeningen de wereld verbeteren. Zo ook naar aanleiding van de buscontroverse die hier even het nieuws beheerst: een meisje van drie stapt samen met haar mama uit een bus. De bus rijdt te vroeg weg, het meisje wordt meegesleept en overleeft het niet.

De regering treft maatregelen: voortaan mag niemand nog de midden- en achterdeuren gebruiken om uit te stappen.

Waarop de buschauffeurs zeggen: Oké, maar dan mag niemand nog staan in de bus. Als alle zitplaatsen bezet zijn, laten we er niemand meer bij.

Waarop de regering zegt.

Waarop de buschauffeurs zeggen.

Er wordt niet aanvaard dat dit soort ongelukken nu eenmaal gebeurt. Er wordt gezegd: Dit mag nooit meer gebeuren.

5. ZUID-AFRIKA IN SYDNEY

Op de ferry van Circular Quay naar Manly ziet een jongen de folder in mijn hand waarop de kustwandeling van Manly naar The Spit warm wordt aanbevolen. Of we samen zullen wandelen?

Hij heet Shawn en is uit Johannesburg overgevlogen om met een jacht terug te varen. De Ocean Quest ligt in de haven van The Spit. Over twee weken komen de Engelse eigenaars aan en wordt het schip zeilklaar gemaakt.

We zien een strand, verlaten het kustpad en klauteren naar beneden. Onderaan zijn de rotsen door de oceaan uitgehold en we moeten de laatste meters springen. De rotswand is geribd net als een strand bij laag tij. Iemand heeft in een holte met plastic zeil een bed gemaakt. Kom, zegt Shawn, het water stijgt. Maar het pad kunnen we niet meer bereiken en we klimmen moeizaam over de rotsen verder tot bij een trap naar een vuurtoren. Ik voel me een kranig vrouwtje. A brave little woman.

Later vertelt hij me dat hij de kist van de vermoorde Chris Hani heeft moeten bewaken. Hij was na zijn legerdienst voor een maand opnieuw onder de wapens geroepen en mocht kiezen: ofwel aanvaardde hij een speciale opdracht en mocht hij na een week naar huis, ofwel klopte hij de volle maand. Zijn keuze was snel gemaakt, maar hij kreeg er spijt van toen een andere soldaat nog voor hij zijn uniform had aangetrokken voor zijn ogen werd neergeschoten.

Chris Hani de secretaris-generaal van de communistische partij? Nee, dat wist hij niet. Was ik daar zeker van?

Even denk ik in paniek dat deze jongen een rechtse Afrikaner is, maar dan zie ik de nieuwe vlag van Zuid-Afrika op zijn rugzakje. De vlag van het nieuwe Zuid-Afrika. Wat later zegt hij dat Zuid-Afrika een hogere levensstandaard heeft dan Australië. In Zuid-Afrika heeft iedereen het goed, zegt hij. Jong, denk ik, hij is nog jong.

South Africa? zegt de eigenaar van de jachtclub in The Spit. Who would have believed they'd be all right? That Mandela is a great man. En tegen mij: Belgium? Didn't the Belgians have a finger in the Rwandan pie?

Welke nationaliteit zou jij willen hebben als je kon kiezen? vraag ik aan Shawn.

Canadian, zegt hij.

Danish, zeg ik. Or maybe Dutch.

6. REIZEN IS OOK LEZEN

Onderweg naar Sydney lees ik *Jasmine* van Bharati Mukherjee en *The Lover* van Marguerite Duras. *Jasmine* valt tegen in vergelijking met haar verhalenbundel *The Middleman*. Wel aardig, maar een erg nadrukkelijke boodschap en een aantal onwaarschijnlijke wendingen. Vervelend genoeg blijft zo'n roman lang in mijn hoofd zeuren. Ik pieker over de plot, erger me over ontwikkelingen die er met de haren bij zijn gesleept, wil me met het verhaal bemoeien. Bij film ben ik eraan gewend: je kijkt, geniet en denkt nooit: Dat kan toch niet. Je consumeert plaatjes. Zelfs bij 'goeie' films hangt het verhaal vaak met haken en ogen aan elkaar. Maar een roman moet kloppen, al is het maar omdat je kunt terugbladeren.

Over *The Lover* pieker ik niet. Ik denk alleen: Dit is zo mooi, zo goed, zo sterk. En: Ik kan nooit iets schrijven dat beter is. Of even goed. Het heeft trouwens geen zin dat ik nog iets schrijf. Zij heeft alles gezegd.

Op mijn hotelkamer in Sydney laat ik drie romans achter die ik thuis in mijn tas heb gestopt: *Ruth* van Elizabeth Gaskell, *Op de rug van vuile zwanen* van René Stoute en *The Day of the Sardine* van Sid Chaplin. Alle drie na een paar hoofdstukken weggelegd. Van Gaskell kan ik beter het bekendere *Mary Barton* lezen; Stoute schrijft goed maar deprimeert me met de doelloosheid van het junkiebestaan; Chaplin ergert me vanwege de latente vrouwenhaat. Heerlijk vind ik het om boeken waar ik niet van houd in een trein of een hotel achter te laten. Weg. Zou je met alles in je leven moeten doen.

Als ik met Shawn in Manly op de ferry wacht koop ik voor hem Yung Changs *Wild Swans* en voor mezelf Robert Hughes' *The Fatal Shore*. De eerste tweehonderd bladzijden lees ik snel na elkaar, daarna stap ik over op Bruce Chatwins *In Patagonia*, dat ik in het boekhandeltje van de National Gallery koop. Ik was op zoek naar zijn *Songlines*, maar daarvan is in Melbourne niet meteen een exemplaar te vinden. Als Duras van mij een tien krijgt, geef ik Chatwin een negeneneenhalf. Dat halve puntje verliest hij vanwege af en toe té compact. Maar ook hier schitterende zinnen en feilloze timing, zoals: 'An Indian came in drunk and drank through three jugs of wine. His eyes were glittering slits in the red leather shield of his face. The jugs were of green plastic in the shape of penguins.'

In het vliegtuig van Sydney naar Bangkok lees ik *Jetlag* van Michèle Nayman, een roman die op de beurs in Melbourne is gepresenteerd. Het duurt even voor ik in de gaten heb dat *Jetlag* een veredelde kasteelroman is: de verpleegster heeft een p.r.-baan in een computerbedrijf; de dokters zijn de zeer gladde verkopers van hard- en software. Hoofdstuk één wordt ze aan een van hen voorgesteld, hoofdstuk twee is het 'aan', hoofdstuk drie gaat het fout en in het slothoofdstuk likt ze haar wonden.

Na *Jetlag* sla ik de middelste tweehonderd bladzijden van *The Fatal Shore* over en lees de laatste tweehonderd. Daarna stap ik over op de videocultuur. Tussen Bangkok en Londen kijk ik naar een film over surfen, een feuilleton van de reeks *Rescue*, een aantal afleveringen van *Monty Python's Flying Circus* en een film, *Greed*, waarover nadenken ten strengste is afgeraden.

Op Heathrow koop ik een krant. Het is waar dat Michael Jackson met de dochter van Elvis Presley is getrouwd.

7. EEN MOTEL IN NAROOMA

Nee, zegt de gelaten eigenaar van een motel op de Princes Highway, de kustweg tussen Sydney en Melbourne, je kunt er niet van leven. Te veel concurrentie, te weinig toeristen.

De man heeft een dikke buik, een roze kaketoe en een vrouw die heerlijke maaltijden voor ons kookt waar hij veel te weinig voor rekent.

In mijn kamer zijn het televisietoestel en de automatische bedmassage stuk. Van de elektrische deken, waar de anderen zo lyrisch over doen, geen spoor. 's Morgens zet ik de waterverwarmer aan zonder hem eerst te vullen en verniel het laatste functionerende elektrische apparaat in kamer één van het Farnboro motel.

Maar nergens eten we zo lekker als hier.

8. METUNG

Zonsondergang en vier verschillende soorten licht: oranje gloed boven de kruinen van de eucalyptusbomen; hard wit licht van een ster; geel elektrisch licht in een huis bij het water; straatverlichting.

Een familie zwarte zwanen duikt naar vissen. Hun snavels zijn rood. De pelikanen laten zich pas 's morgens zien. Dan worden ze bij de steiger van het hotel gevoerd.

9. DE TELEFOON

Thuis heb ik gezegd: Geen nieuws is goed nieuws. Ik bel
je niet tenzij om over rampspoed te berichten. Maar Australië is het land van de telefoon. Van reisbureaus en tele-
foons. Als ik zwicht krijg ik het antwoordapparaat aan
de lijn. Terug thuis luister ik naar de boodschap die ik
heb ingesproken, denk aan de vrouw in een open te-
lefooncel in Melbourne die de hoorn tegen haar ene
oor geklemd hield en met een vinger haar andere oor
dichtdrukte. Telkens opnieuw ebt mijn stem weg. Ik
hoor de woorden 'uitstekend', 'prachtig', 'oceaan', 'heerlijk'.

10. DE OFFICIËLE ONTVANGST

De Nederlandse consul in Melbourne maakt rare
sprongetjes en zijn wenkbrauwen dansen over zijn voor-
hoofd. Hij heeft iets van een robot die bij inworp van
een munt steeds hetzelfde verhaal opzegt. De munten
zijn wij.

'Australië is zo heerlijk multicultureel, er worden
meer dan honderd talen gesproken en er zijn evenveel
verschillende keukens, niemand zal hier ooit een opmerking maken over je accent; Australië is zo heerlijk multicultureel, er worden hier meer dan honderd talen gesproken en...'

Maar dan richt een blonde Nederlandse mevrouw
zich met een blik vol begrip tot de etnische minderheid
van die avond.

'Het is vast moeilijk voor u als enige Vlaamse in dit
Nederlandse gezelschap.'

'Nee hoor,' zeg ik, 'het is juist erg leuk.' Met de na-

druk op 'leuk', zoals Nederlanders dat zouden doen.
'Mag ik vragen hoeveel boeken hebt u geschreven?'
'Acht,' zeg ik.
'En alle acht in de Vlaamse taal?'

11. DE ABEL TASMAN CLUB VOOR NEDERLANDERS IN MELBOURNE

Er zijn hier veel arme mensen, zegt Frans Bos van de Erasmus Stichting. Ook Nederlanders, jazeker.

Een vrouw met kort grijs haar en intelligente ogen vertelt me dat ze de verhalen van Nederlandse vrouwen noteert die in de jaren vijftig met hun man naar hier zijn geëmigreerd. De meeste vrouwen kunnen niet over zichzelf praten, zegt ze. Er is hun nooit gevraagd: Wat vind jij van dit of van dat? Nu hebben ze geen woorden om gevoelens te benoemen. En misschien zelfs geen gevoelens.

Ze heeft met een vrouw gepraat die hier bijna vijftig jaar woont en nog altijd geen Engels spreekt. 'Ze wilde hier helemaal niet zijn. Ze was bang, sloot zich in haar huis op.'

12. ZUSTERS

Ik tegen Lucie Th. Vermij: Maar in de zusterschap van vrouwen geloof ik niet meer.

Zij (vrolijk): Daar heb ik nooit in geloofd.

Leuk is anders, zegt mijn moeder als ze het over ouder worden heeft, maar hier praat men alleen over hoe prettig het wel is om eindelijk jezelf te kunnen zijn. Blijkbaar moet een vrouw daarvoor wachten tot haar zeventigste.

Veel foto's aan de muren van de beurs van oudere vrouwen met een tekstje over hun ervaringen. Verder ook: het moet maar eens uit zijn met discriminatie op basis van leeftijd. Ageism. Hoe vertaal je dat?

Het is sinds 1984 geleden dat ik een feministische bijeenkomst heb bijgewoond. De nieuwe onderwerpen zijn: ouderdom, gezondheid – 'all my friends have cancer,' hoor ik een vrouw zeggen – en nonnen. Ook de humor is nieuw. Er mag gelachen worden en er wordt gelachen, vooral tijdens de sessie rond 'Convents: a hotbed of feminism?' Ik was ernaar toe gegaan om me op te winden zodra een goed woord over nonnen werd gezegd, maar de vier spreeksters – twee nonnen en twee schrijfsters van romans over nonnen en kloosters – zijn geestig, intelligent en welbespraakt. In fictie, zegt Michele Roberts, functioneert het klooster dikwijls als een metaforische baarmoeder. Plotseling besef ik dat mijn jongste boek, dat alleen nog maar in manuscript bestaat, én *Een zuil van zout* ondanks mijn hekel aan nonnen gedeeltelijk in een klooster spelen. Zou dat van die baarmoeder ook voor mijn boeken gelden?

Alleen de radicale feministen zijn nog boos. En ook Lois Keith is boos. Ze moet spreken over 'writing the body' maar er is geen loopplank naar het podium voor haar rolstoel voorzien. Er was haar beloofd dat het gebouw makkelijk toegankelijk was, maar ze rijdt van hindernis naar hindernis. Feministen, zegt ze bitter, zijn niet anders dan andere mensen.

Ze leest een ontroerend gedicht voor. 'Tomorrow I'm going to rewrite the English language. (...) Then I won't have to feel dependent because I can't stand on my own two feet. (...) I won't feel inadequate if I can't stand up for myself. (...) I will wheel, cover and encircle. Somehow I will learn to say it all.'

14. TWEE FILMS

Donderdag zie ik samen met nog drie mensen *Wittgenstein* van Derek Jarman. Vrijdag zitten er tien mensen voor *Thirty two short films about Glenn Gould* van François Girard, een schitterende film waarvan ik voor dit stuk de titel steel. Beide films bevestigen de mythe van het genie: egocentrisch, lastig, uitzonderlijk begaafd.

Gould was geobsedeerd door stemmen, schreef ooit een partituur voor babbelende stemmen: verschillende mensen vertellen een verhaal, niet om beurten maar door elkaar. Gould dirigeert. Hij was ook dol op telefoneren, stond 's middags om vier uur op en begon te bellen: hij wilde geen mensen, hij wilde alleen hun stem. Zelfs zijn interviews gaf hij per telefoon.

Over waarom hij geen concerten meer gaf, het volgende verslag van een tournee: zes redelijke hotels, vijf redelijke bedden, drie redelijke piano's. En hij had een hekel aan de hiërarchische verhouding tussen 'artiest' en 'publiek'. Hun afwachtende houding. Hun hongerige blik.

Wittgenstein was een getormenteerde man, haatte zijn milieu, liep ervan weg, keerde terug, gaf zijn studenten de raad de universiteit te ontvluchten en een 'nuttig' beroep te kiezen. Mecanicien, bijvoorbeeld. Grote schuldgevoelens ook over zijn homoseksualiteit.

Gould en Wittgenstein. Twee beroemde mannen, terwijl ik in Melbourne ben voor een feministische boekenbeurs.

15. TWEE KEER NAAR HET THEATER EN NOG TWEE BEROEMDE MANNEN, OF ZELFS DRIE

Beide stukken, *Four Little Girls* van Pablo Picasso gebracht door Handspan Theatre en *Hysteria* van Terry Johnson gespeeld door de Melbourne Theatre Company, hebben een feministische boodschap. De vier kleine meisjes willen niet opgroeien want seks betekent dood. Om dit duidelijk te maken worden ze door mannen in het zwart rondgedragen. Ze liggen met lange losse haren slap in hun armen, dragen alleen een vleeskleurige body. In de slotscène verbranden de meisjes symbolisch dit beeld van zichzelf. Kiezen voor opgroeien én leven.

Hysteria gaat over Freuds levenseinde. Hij woont in Londen en krijgt bezoek van een geflipte Salvador Dali die voor een komische noot zorgt, maar ook van de dochter van een van zijn patiënten. Eerst heeft Freud de moeder van het meisje genezen door haar hysterische symptomen in verband te brengen met incestervaringen. Daarna heeft hij haar tot zelfmoord gedreven door deze incestervaringen als fantasie te bestempelen. Ze zijn het produkt van haar eigen incestueuze verlangens. De dochter eist dat Freud vooralsnog incest erkent, maar

Freud is te oud en te ziek voor zelfkritiek. Dali jaagt haar weg, maar ze keert terug.

Beide produkties maken uitbundig gebruik van papier-maché poppen, en rook- en lichteffecten. Angsten en dromen worden uitgebeeld. De meisjes die niet willen opgroeien worden door de hoeven van een groot wit paard bedreigd; Freuds vader komt uit zijn graf en ziet er ook uit als een wegrottend lijk. Een sirene loeit in de coulissen, lichten gaan aan en uit, vier oude naakte vrouwen schuifelen naar een angstige Freud. Dan gaan ze onder een douche waar rook uit sist. Het is niet duidelijk waarom de holocaust wordt uitgebeeld.

De regie heeft iets kinderlijks en provinciaals, niet alleen vanwege de wat stuntelige effecten. Hier is nog geloof in de mensheid, in waardigheid en waarden. Ik kijk met in gedachten de radicale, ontluisterende produkties die ik onlangs in Brussel op het KunstenFestival Des Arts heb gezien: *Overgewichtig, onbelangrijk, vormeloos* van De Trust (regie Theu Boermans, tekst Werner Schwab) en *Tight Right White* van Dar A Luz (regie Reza Abdoh).

Slotbeelden van *Tight Right White*: vier mensen – twee blank, twee zwart – hand in hand op trillende benen in de sneeuw; een kokhalzende jongen met een koffertje; een gezinnetje dat zingt bij een kampvuur.

Slotbeeld van het eerste deel van *Overgewichtig*: zes acteurs storten zich op de twee overige om ze uiteen te rukken en op te peuzelen.

De Australische regie moet het hebben van rekwisieten en effecten; de produkties op het festival vergen meer van de acteurs; hún handelingen zijn schokkend: er wordt net niet geneukt, gekakt, gebraakt. Slipjes worden uitdagend naar beneden getrokken. Ook mannen moeten uit de kleren, staan voor lul met hun broek op de enkels.

De wereld die wordt getoond is lelijk, extreem, illusieloos. Wat is de volgende stap? Dat de acteurs letterlijk op het podium kakken en elkaar met stront insmeren? Of de stront naar het publiek gooien?

En is het toeval dat de twee stukken die ik in Melbourne zie een esthetische en morele onschuld hebben bewaard?

16. BYO

Een aankondiging in de krant voor een show: 6.30 p.m.: dinner; 7.30 p.m.: performance; end: 9.30 p.m., want vroeg naar bed gaan ze ook.

In de chique lounge van Melbournes Victorian Arts Centre – rode pluche, kroonluchters, spiegels – zitten mensen voor de voorstelling met een bord op schoot te eten.

Je hoeft je hier nooit af te vragen: Waar zal ik eten? Het kan overal, én voor weinig geld. Ook aan de wijn verdienen ze niets want je mag – of moet – hier meestal zelf je drank meebrengen. BYO, Bring Your Own.

De laatste avond durven we het eindelijk. We kopen een fles en stappen er giechelend een Thais restaurant mee binnen.

Later nemen we een asbak mee naar huis. Royal Porcelain of Thailand. TYO. Take Your Own.

17. TERUG

Naast mij zit een vrouw uit Sydney die voor een huwelijksfeest naar Wales vliegt. Ze heeft drie volwassen kinderen, geen kleinkinderen. Alle drie hebben ze op een privé-school gezeten. Dat kon, zegt ze, want haar man verdiende goed. Hij was ingenieur. Ze herhaalt het een aantal keren: ingenieur. En ze somt de beroepen van haar kinderen op. Ze hebben geluk gehad. Veel geluk. Hun vader was ingenieur. Hij is aan huidkanker gestorven. Ze legt me het ziekteproces uit. Ik vertel haar over de anti-kankerwinkels die ik in Australië heb gezien, met brillen en kleren die je tegen de zon zouden beschermen. Ja, zegt ze, maar de mensen zoeken nog altijd de zon op. Ze willen het niet geloven.

Alle anti-kankerwinkels die ik heb gezien, hielden uitverkoop. Maar het was ook winter.

18. EPILOOG

Ben je nu al lesbisch, vraagt mijn dochter als ik thuiskom. Ik lach, vertel haar niet over de naakte mannen over wie ik herhaaldelijk heb gedroomd. Hun lichaam was beschilderd en ze kwamen uit de bush met lange wiebelende penissen.

De stemmen van Zuid-Afrika

De University of Cape Town (UCT) ligt hoog boven Kaapstad aan de voet van de Tafelberg. Op heldere dagen is de verleiding groot om de hele dag op de monumentale trap naar het auditorium te blijven zitten, en te genieten van het schitterende uitzicht op de stad en de oceaan. Maar het is lente en dikwijls hangt er een lage wolk net boven de Tafelberg. 'Tafelkleed' wordt die wolk genoemd. Bij zijn dood heeft Cecil Rhodes deze grond aan de stad geschonken op voorwaarde dat er een universiteit zou worden gebouwd. Hoger op de flank heeft Rhodes zijn Memorial met een Griekse tempel, een stoet stenen leeuwen en een standbeeld. Geen enkele slogan ontsiert dit wat protserige monument. Het nieuwe Zuid-Afrika beleeft geen beeldenstorm. De luchthaven van Port Elizabeth heet nog altijd Verwoerd en die van Kaapstad D.F. Malan. In het parlement vergaderen de pas verkozen vertegenwoordigers onder de portretten van de architecten van het apartheidsregime, en in Paarl, een twintigtal kilometer ten oosten van Kaapstad, ligt het taalmonument ter ere van het Afrikaans ongeschonden op de heuvelflank. Zelfs geen wegwijzer ernaartoe is beklad.

Er is erg weinig verbittering, zegt Loes, bij wie we logeren. Dat komt omdat het christenen zijn. Echte christenen.

We zitten op de Signaalberg, waar vroeger een kanonschot werd gelost als een vijandig schip Kaapstad naderde, en drinken een 'skemerkelkie', een glaasje witte wijn bij zonsondergang. Het uitzicht op de oceaan (voor ons) en de Tafelberg (achter ons) is zoals alle uitzichten hier, adembenemend.

Kijk, zegt Loes, Robbeneiland.

Later stel ik de vraag opnieuw aan Lunga, onze gids in de townships. Hoe komt het dat jullie ons niet haten?

We tonen niet altijd wat we echt denken, zegt hij. En: Mandela wil dat we ons verzoenen.

Rolf, dr Rolf Wolfswinkel, heeft me uitgenodigd om aan zijn studenten op UCT twee weken les te geven. Thuis had ik me een voorstelling gevormd van uiterst bewuste studenten die me met kritische vragen zouden bestoken, zoals: 'Wat is de relevantie van uw werk in de Zuidafrikaanse context?', maar ze zijn braaf, te braaf zelfs. En bijna allemaal zijn ze blank of licht gekleurd. UCT's negenendertig procent zwarte studenten zitten in andere departementen.

In de les spreek ik Nederlands en de studenten Afrikaans, wat ik minder makkelijk versta dan me was voorspeld. Na enkele lessen probeer ik af en toe een Afrikaans woord uit, zoals 'kombuis' voor keuken, een woord waaraan je merkt dat de eerste Nederlanders in Zuid-Afrika scheepslui waren. 'Kooigoed', van 'kooi', een slaapplaats op een schip, is ook zo'n woord. Kooigoed is een plantje dat vroeger werd gebruikt om een matras te maken. Ooit werd hier over het Afrikaans smalend gepraat als 'kombuisnederlands', maar nu is het de enige taal ter wereld waarvoor een monument is opgericht.

Wat! roept Joost Zwagerman geschokt uit. Spreek jij hier Nederlands?

Joost is in Zuid-Afrika voor het Arts Alive-festival en spreekt hier alleen Engels, want het Afrikaans, zegt hij, is de taal van de onderdrukker. In 1976 hebben de scholieren onder meer tegen het verplichte gebruik van het Afrikaans betoogd, het 'kaferkaans', lees ik op een foto van de betoging.

Ach Nederlanders! zegt iedereen – Afrikaans- of Engelstalig – aan wie ik Joosts reactie vertel. Ze begrijpen niets van ons land. Het Afrikaans is zelf een onderdrukte taal geweest. In het begin van de eeuw kregen kinderen die op school Afrikaans spraken, een bord met 'I'm a donkey' om. En het Afrikaans is ook de taal van de kleurlingen. De zwarte bevolking, zegt Etienne van Heerden, verkiest de Afrikanen, zelfs de wat racistische, boven de liberale Engelsen met hun goede bedoelingen en hun liefdadigheid. Aan de Afrikanen weten ze wat ze hebben. De Engelsen staan nog altijd met één been over het water, hun hart is niet in Afrika.

In gedachten vergelijk ik de Afrikaan Van Heerden met de dichter Steve Watson. Watson is in Kaapstad geboren en getogen, maar in zijn gebaren en manier van spreken is hij Engelser dan prins Charles. Van Heerden houdt zoals veel van zijn zwarte landgenoten van lachen, sterke verhalen vertellen, overdrijven en mensen imiteren. 'O, but Mandela is such a nice chap!' zegt hij met een schitterend bekakt accent.

Het Afrikaans zal overleven, zegt de schrijver J.M. Coetzee, maar het zal het Afrikaans zijn van de kleurlingen, een Afrikaans dat zich meer en meer van het Nederlands verwijdert en met Engels is doorspekt.

In sommige radio- en televisieprogramma's heerst al een tweetaligheid die aan de Brusselse Marollen doet denken: een mededeling in het Afrikaans wordt gevolgd door een aankondiging in het Engels met daarna weer een gesprek in het Afrikaans.

In de krant lees ik een bericht over geschokte bewoners die op de muur van hun gekraakte huis het opschrift 'Poes is lekker' hebben aangetroffen. In het Afrikaans is 'poes' een obsceen scheldwoord.

Rolf Wolfswinkel, mijn gastheer op UCT, is in 1988 uit Alkmaar naar Kaapstad vertrokken om Nederlandse literatuur te doceren. De beste beslissing van mijn leven, zegt hij. En: Ik wantrouw de massa, loop graag tegen de stroom in. Rolf heeft net als zijn vriendin Loes op 27 april voor het ANC gestemd, maar hij praat niet graag over politiek. Dat doet Loes wel, zegt hij.

Loes, dr Loes Nas, doceert Engels aan de University of the Western Cape (UWC), de vroegere universiteit voor de kleurlingen. UWC is nog altijd de meest 'zwarte' universiteit van Kaapstad en daarmee ook de interessantste. Hier moeten het onderwijs en zelfs de hele maatschappij opnieuw worden uitgevonden.

Op mijn vrije dag rijd ik met Loes mee naar UWC. Ze geeft les aan de eerstejaars over hun 'multilingual environment' en laat hen opschrijven welke taal ze met hun moeder spreken, met hun broers of zusjes, in de winkel, op school, met de politie et cetera. Voor niemand is het Engels of het Afrikaans de eerste taal, wel Sotho (lees: 'Soetoe'), of Xhosa (lees: een 'klik' met je tong tegen je wang en dan 'osa') of Zoeloes of Tswana. De jongen naast me wil absoluut vertellen welke talen hij spreekt. Met mijn vrouw spreek ik Xhosa, zegt hij. Het auditorium giert het uit, maar hij gaat onverstoord verder. Met mijn zoontje spreek ik Xhosa. Iedereen buldert van het lachen.

Hoe komt het, vraagt Loes aan de studenten, dat er in Zuid-Afrika Engels wordt gesproken? Ze schrijft de woorden 'lingua franca' op het bord en het jaartal 1800. Toen bezetten de Britten voor de tweede keer de Kaap.

De boodschap is duidelijk: de geschiedenis van het Engels in Zuid-Afrika is erg jong. De zwarte studenten hebben een achterstand omdat het Engels voor hen een tweede, derde of soms vierde taal is. Zeg maar wat je denkt, zegt Loes na de les, eerder een lagere school dan een universiteit.

Ze moeten het ooit van iemand horen, antwoord ik voorzichtig. Maar wat je zegt, is behoorlijk subversief. Als ze de juiste conclusie trekken, dragen ze jou naar buiten.

Engels is ook mijn moedertaal niet, zegt Loes. Trouwens ze zijn niet tegen het Engels. Ze moeten gewoon weten dat hun eigen taal en cultuur even waardevol zijn. In de les heeft ze voorgelezen uit het essay *Decolonizing the mind* van de Keniaan Ngugi, waarin hij over de stokslagen vertelt die hij op school kreeg als hij zijn moedertaal Kikuyu sprak.

Sinds de verkiezingen erkent de regering elf talen, maar het is onduidelijk of er ooit hoger onderwijs zal worden gegeven in alle elf.

Zie jij je werk als een soort van ontwikkelingswerk? vraag ik aan Loes.

Bij de eerstejaars wel, zegt ze. Daarna niet meer.

Op UWC moet iedereen aan de eerstejaars lesgeven. De groep is groot, tweeduizend studenten, van wie er misschien driehonderdvijftig zullen overgaan. Vanwege het open admission-systeem krijgt de universiteit veel studenten die niet geschikt zijn of onvoldoende voorbereid. Meestal is dat hun schuld niet, maar die van het dorpsschooltje waar niets was, of van de hut waar ze met tien mensen wonen zonder elektrisch licht of de noodzakelijke privacy om te studeren. Maar de regering wil absoluut dat er zwarte kaderleden komen; er moeten mensen worden opgeleid. Volgend jaar organiseert UWC een voorbereidende cursus, waarin wordt uitgelegd hoe je notities maakt, naar de bibliotheek gaat, et cetera. Voor veel studenten is de cultuurschok enorm, zegt Loes. Ze komen misschien uit een dorp waar iedereen geld bij elkaar heeft gelegd om de slimste jongen te laten studeren, en misschien hebben ze nog nooit met vork en mes gegeten, en zeer waarschijnlijk hebben ze nooit een ander boek gezien dan de enkele in hun schooltje. Dan komen ze op UWC en moeten ze plotseling Engelse literatuur gaan lezen. Ze willen ook helemaal geen literatuur studeren, wel Engels maar dan in een veel praktischer zin: hoe schrijf ik een brief, hoe neem ik aan een vergadering deel. Je moet ze een boek-ethos inhameren, zegt Loes, ze op de een of andere manier bijbrengen dat boeken belangrijk zijn. En dat ze moeten lezen. De grond van de zaak is dat ze geen geld hebben om boeken te kopen.

Hoe los je dat dan op? vraag ik.

Nou, je lost het op.

Ze toont me de brochure bij de cursus *Oral poetry*. '*Did you know that of the 3000 languages spoken today, only 78 have a written literature? Does this mean that the others have no poetry, no songs, no stories?*' Met andere woorden: de liedjes, rijmpjes en verhalen die de studenten als kind in hun dorp of township hebben gehoord, zijn ook literatuur. *Empowerment* heet deze aanpak, en: *consciousness raising*. Bewuste, zelfstandige mensen vormen.

Later neemt ze me mee naar het Mayibuye Centre in de bibliotheek van UWC. Mayibuye betekent 'laat het terugkomen'. Het centrum is in 1991 opgericht om aan de zwarte Afrikanen hun geschiedenis terug te geven. Het ANC heeft hier zijn archieven gedeponeerd en medewerkers gaan met bandopnemers getuigenissen verzamelen.

Mijn oog valt op een map met de naam 'Nelson Mandela'. Ik sla hem open en zie de trouwfoto van Nelson en Winnie.

Buiten bij de bibliotheek roept het African Students Congress de studenten op om bij het parlement voor beter onderwijs te gaan betogen. 'Jobs, Freedom, Peace' staat op het spandoek. De studenten zingen, klappen in de handen en dansen *toyi toyi*.

UWC heeft een lange traditie van betogen en actie voeren. Er is hier maanden en maanden door de studenten gestaakt. Wie niet mee wilde doen, werd bedreigd en voor collaborateur uitgescholden. Die kant van het studentenprotest zie ik niet als ik met mijn brochures van het Mayibuye Centre in de hand op een muurtje ga zitten en luister naar het gezang van de studenten. Dit is het, denk ik diep ontroerd.

Later krijg ik van Dorothy Driver, docente Engels aan het UCT, het verwijt dat ik UWC romantiseer. Ze geven waardeloze essays af, zegt ze korzelig, en tekenen ze met 'yours in struggle'. Geef je hun een slecht cijfer, dan ben je een eurocentrist.

Kaapstad heeft nog een derde universiteit: Stellenbosch, vroeger blank Afrikaans, nu ook gemengd. Ze moeten wel, zegt Loes cynisch, anders verliezen ze hun subsidie. We rijden met Wiüm van Zyl naar Stellenbosch, waar Herman een lezing zal geven voor de studenten van Wiüms vrouw, Dorothea van Zyl, docente Nederlandse literatuur. Ze excuseert zich voor de oubollige portrettengalerij in de gang van het departement met foto's van de blanke vaders en een enkele moeder van de Nederlandse letteren. In de docentenkamer drinken we vooraf een kop koffie en wordt de dichter 'Walter de Coninck' hartelijk welkom geheten. De sfeer op Stellenbosch is

53

van een beklemmende gezapigheid. Toch zal de schrijver Etienne van Heerden ons later vertellen dat hem op Stellenbosch tijdens de lessen Internationaal Recht een politiek bewustzijn is bijgebracht.

Stellenbosch heeft iets van de steriele schoonheid van Zwitserland. De huizen en wijnboerderijen zijn gebouwd in de typische sobere Kaapse stijl met als enige opsmuk 'broekieskant', fijn ijzerwerk dat balkonnetjes en afdakjes versiert. De streek mag waarschijnlijk gelden als een van de mooiste ter wereld en toch stemt al die bijna idyllische lieflijkheid achterdochtig. De gevels zijn te wit.

Nee, zegt Dorothea van Zyl, ik zou hier niet willen wonen. De mensen die hier wonen denken dat er niets bestaat buiten Stellenbosch.

In Stellenbosch heeft bijna iedereen voor de Nasionale Partij van De Klerk gestemd.

Tijdens de lunch praten we over de stroom vluchtelingen uit de buurlanden en de vroegere thuislanden, en laat Dorothea zich verleiden tot de enige politiek niet correcte uitspraak die we in Zuid-Afrika zullen horen: Bij jullie zit er tenminste nog de Middellandse Zee tussen. Ze zegt wat veel mensen denken: Hoe moet het met alle *squatters* of 'plakkers', mensen zonder have of goed die in Kaapstad werk hopen te vinden? Iedere dag, schat men, komen er driehonderd bij. Vroeger, zegt Dorothea, hield de oorlog hen tegen. En: Wat betekent afrocentrisme? Dat we in een ziekenhuis verzorgd zullen worden door verplegend personeel dat zich zelden of nooit wast?

Maar Dorothea is de enige dissidente stem. Alle andere mensen met wie we praten herhalen wat Mandela zegt: in het nieuwe Zuid-Afrika is er plaats voor iedereen. Het land zit vol Schindlers, zegt Anja Meulenbelt spottend. Iedereen blijkt plotseling in het verzet te hebben gezeten. Meulenbelt is net als Joost Zwagerman voor het Arts Alive-festival in Zuid-Afrika en heeft met veel genoegen uit *De schaamte voorbij* voorgelezen. Vroeger was het boek hier verboden.

Allemaal Schindlers? Ik weet het niet. De schrijfster Riana Scheepers, de dichter Daniel Hugo en de uitgeefster Annerie van de Merwe minimaliseren hun aandeel in 'the struggle'. Tijdens hun studietijd op Stellenbosch zijn zowel Riana als Annerie door de veiligheidspolitie benaderd om medestudenten en docenten in de gaten te houden. Het was amateuristischer dan in Oost-Duitsland, zeggen ze, maar er zijn zeker dossiers aangelegd.

Daniel Hugo heeft in de jaren zeventig op Stellenbosch een petitie laten circuleren om te eisen dat zwarte studenten aan de universiteit zouden worden toegelaten. Toen hij later zijn legerdienst deed, werd hij anders dan de andere blanken na drie maanden niet automatisch tot officier gepromoveerd. Dat kwam door die petitie, zegt hij.

Wat gebeurt er nu met die dossiers? vraag ik.

Daar is nog niets over beslist.

Niemand lijkt het een punt te vinden.

Het blanke verzet stelde niet veel voor, zeggen ze. Het echte verzet was het ANC en daar wilden we niet bij want het ANC betekende geweld. Een blanke werd trouwens nooit echt vertrouwd.

En Breytenbach? vraag ik.

Breytenbach is dom geweest, zegt Annerie geërgerd. Hij is met een vals paspoort en vermomd het land binnengekomen. Hij heeft het gezocht!

Vrijdagmiddag en Rolf en Loes stouwen hun kampeerbusje vol voor een weekend in de Sederbergen. Feodaal gebied, noemt Loes het. Als we ons aanmelden op Dwarsrivier, de boerderij van de familie Nieuwoudt, zien we zwarte knechten met een kip onder hun jas naar huis vertrekken. Vrijdagavond, zegt Loes laconiek, ze worden uitbetaald. De knechten bewegen zich schichtig. Ze lopen blootsvoets, dragen jassen van jute en hebben hun wollen muts tot ver over hun oren getrokken. Elke blanke noemen ze 'baas'. Ja baas. Zeker baas. Voor hun kinderen is er hier geen school. De blanke kinderen worden naar een kostschool gestuurd. Ook voor hen is het verwarrend, zegt Loes. Eerst spelen ze allemaal samen, daarna leren ze op hun vroegere speelkameraadjes neer te kijken.

Nog niet zo lang geleden heeft de familie Nieuwoudt de ambassadeur van de Verenigde Staten de toegang tot hun vakantiehuisjes ontzegd. De ambassadeur is een Afrikaanse Amerikaan. In het huisje dat we huren, hangt *De stem van Suid Afrika*, het vroegere Zuidafrikaanse volkslied, aan de muur.

Waarom komen we in 's hemelsnaam naar hier? vraag ik.

Dat zie je morgen, zegt Rolf. Vanavond gaan we braaien.

'Braaien' ('braai' is Afrikaans voor barbecue) is de nationale vrijetijdsbesteding nummer één. Als ik Loes vraag of de zwarte Zuidafrikanen ook van braaien houden, zegt ze: Ze braaien iedere dag.

De volgende morgen rijden we in de pletsende regen naar een rotsformatie die Stadsaal wordt genoemd. Hier werd in 1919 door dr D.F. Malan de Nasionale Partij opgericht. Zijn handtekening staat in bloedrode letters op de rotswand. In 1987 heeft ook Pieter W. Botha zijn naam op de rotssteen geschreven, en ook Mevr. E. Botha en Mej. R. Botha hebben getekend. Maar waarom hier? vraag ik.

Ons voor jou Suid Afrika, zegt Rolf. Zuid-Afrika voor de Afrikaners en de Afrikaners voor Zuid-Afrika. Zoiets moet je niet in de stad zeggen, maar hier. Dit is Afrika, het land, bloed en bodem, hoe onherbergzaam ook.

Hij neemt ons mee naar een grot waar muurschilderingen van de Bosjesmannen zijn gevonden: jagers en olifanten in roestkleurige verf. Recentelijk is er een bord boven de tekeningen gehangen: 'This is a national monument of South Africa.'

Maar het is grondgebied van de Nieuwoudts?

Rolf knikt. De regering zal het kopen. Ooit. De Bosjesmannen waren nomaden die van de jacht leefden. Hun leefwijze was een doorn in het oog van de boeren, die een stok zochten om hen te slaan: de Bosjesmannen zouden vee stelen. Dus werden ze afgemaakt of naar Breakwater Prison in Kaapstad gestuurd, zo genoemd omdat de gevangenen de 'breekwater', of golfbreker moesten aanleggen. De Duitse taalkundige Wilhelm Heinrich Bleek besefte dat de taal en de cultuur van de Bosjesmannen ten dode waren opgeschreven, en kreeg de gevangenisdirectie zover dat ze een aantal gevangenen bij hem liet werken als tuinman. In werkelijkheid liet hij hen over hun mythologie vertellen en noteerde wat ze zeiden met monnikengeduld in fonetisch schrift. Er bestaat een ruwe Engelse transcriptie die de dichter Steve Watson heeft gebruikt als inspiratiebron voor zijn bundel *Xam* (lees: een klik en dan 'am').

De taal van de Bosjesmannen is verloren gegaan zoals Bleek vreesde. Vandaag spreken ze Afrikaans. Tijdens de oorlog met Angola flakkerde de interesse in hen even op en werden ze ingezet om sporen te lezen, maar daarna werden ze weer gedumpt in de woestijn. Onlangs heeft een rijke Zuidafrikaan hen ingehuurd voor een uitgestrekt stuk land dat hij had gekocht. Toeristen kunnen er nu naar de Bosjesmannen komen kijken zoals elders in safariparken naar leeuwen en luipaarden.

Zaterdag valt de regen de hele dag met bakken tegelijk uit de lucht ('mooi weer' noemt mevrouw Nieuwoudt het) en als we zondag onder een staalblauwe hemel een tocht maken naar het Maltezer Kruis – een rotsformatie die ons eerder aan de IJzertoren doet denken – lekt overal water uit de bergen. Het is lente en de 'vlei' staat vol bloemen. Verrassend veel aronskelken ook, die de Afrikanen oneerbiedig 'varkensoren' noemen. Loes heeft 'biltong' (gedroogd vlees) en repen gedroogd fruit mee voor onderweg.

Dat hoort er allemaal bij, zegt ze.

'Hiken' (stappen) is de nationale vrijetijdsbesteding nummer twee. Je kunt hier niet veel anders doen, zegt Loes. Het toneel stelt niet veel voor, concerten zijn er weinig; een cafécultuur kennen we niet. Er is film en er worden veel etentjes over en weer gegeven. Uiteindelijk is de kring waarin je je beweegt vrij klein. Iedereen weet alles over iedereen; kletst over iedereen.

Het was ons bij etentjes al opgevallen: hoe er ongegeneerd over mensen wordt geroddeld. En hoe er uitbundig met elkaar wordt gebeld om 'op de hoogte' te blijven. De sfeer heeft iets van het koloniale van kleine blanke gemeenschappen in 'de tropen'.

Hoe je het ook bekijkt, ook hier zijn de blanken de gevangenen van hun angst. Ze leven met tralies voor hun ramen, controleren zorgvuldig of deuren en ramen zijn gesloten. Zondag vertrekken we om drie uur al naar huis. Rolf wil voor donker thuis zijn. Je hoort verhalen die ook bij ons worden verteld: over automobilisten van wie bij een rood licht het portier is opengetrokken en de handtas meegenomen. Afgelopen maand is bij een collega van Rolf vijf keer ingebroken. We horen zelfs berichten over gewapende overvallen in het beroemde Grote Schuurziekenhuis, dat bij Rolf en Loes in de buurt ligt. Als Herman en ik op een avond later dan afgesproken rond halfacht thuiskomen, zijn Rolf en Loes ongerust. 'Je moet op dit uur geen openbaar vervoer meer gebruiken,' zeggen ze. Na acht uur liggen de straten van Kaapstad er akelig verlaten bij. In portieken staan prostituées, maar zelfs de 'bergies' zijn verdwenen, de plaatselijke clochards die overdag bij de supermarkt op de stoep liggen te zuipen en 's nachts in de bergen slapen.

De pers heeft een vette kluif aan de criminaliteit. Elke diefstal, overval of aanranding wordt breed uitgesmeerd.

Ik lees geen krant meer, zegt Riana Scheepers. Anders durf ik mijn huis niet meer uit. En ook Dorothea van Zyl zegt dat ze niet meer naar het nieuws kijkt. Ik wil het niet weten, zegt ze.

Vreemd genoeg voelen we ons absoluut niet onveilig of bedreigd in Kaapstad. Amsterdam en Brussel zijn veel gevaarlijker, zeggen we stoer. We worden met grote ongelovige ogen aangekeken.

Onderweg naar uwc passeren Loes en ik lege autobussen, maar bij elk kruispunt staan studenten en arbeiders te liften. Loes drukt de knop van haar portier in. Vroeger stopte ik, zegt ze, maar dan bestormen ze met z'n twintigen je auto. Ze hebben geen geld voor de bus. Of ze nemen de bus niet want de bus is van de staat.

Maar de staat is nu toch ook van hen?

Aan dat idee moeten ze nog wennen. En de taxibedrijfjes – 'taxi's' zijn hier minibusjes – zorgen ervoor dat de busboycot blijft bestaan. Nog altijd worden er brandbommen naar bussen gegooid of buschauffeurs neergestoken. Kijk maar, de chauffeur zit in een kooi.

Jarenlang heeft het ANC tot een boycot opgeroepen van alles wat van de staat was. De mensen betaalden geen huur, vernietigden de brouwerijen van de staat, brandden de scholen uit. Nu wil Mandela iedereen burgerzin bijbrengen en iedereen moet opnieuw naar school. 'The doors of education shall be opened' was een verkiezingsslogan. 'The doors of education shall be stolen', werd ervan gemaakt, omdat men in openbare gebouwen steelt als de raven. Wiüm van Zyl praat verbitterd over 'the lost generation'. Het ANC, zegt hij, heeft bewust een 'Lumpenproletariat' gekweekt, een proletariaat dat klaar zou staan als het eindelijk zover was en de dag van de revolutie was aangebroken. Er werd hun gezegd dat de school niet deugde, dat het onderwijs eurocentrisch was. Nu zitten ze met een generatie die niet gewend is te werken of naar school te gaan. Een verloren generatie.

Maar het onderwijs voor de zwarten haalde toch geen enkel niveau, zeg ik.

Het was beter dan niets, zegt hij.

Hij vertelt hoe op UWC een kleine groep alles lamlegde. Ze kwamen de les binnen met knuppels en de docent moest ophouden. Iedereen moest naar huis. Maar de ANC-leiders stuurden wel hun eigen kinderen naar goeie scholen in het buitenland. Ik zwijg. Leg hem niet de cijfers voor die de realiteit van het Bantoe-onderwijs weerspiegelen. In 1987 bedroeg het onderwijsbudget voor minder dan een miljoen blanke leerlingen 2,6 miljard rand. De 4,7 miljoen gekleurde en zwarte leerlingen moesten het stellen met 2,5 miljard rand. Voor elke blanke leerling werd dus vijf keer meer uitgegeven.

De Bantu Education Act van 1953 wilde de zwarte bevolking niet opvoeden maar dom houden; dom en arm.

Wiüms familie heeft een huisje in Witsand en omdat ik een boek heb geschreven dat *Wit zand* heet, mogen we er een weekend logeren. We moeten hem alleen een foto sturen van mij bij het bord 'Witsand'. Rolf wil een foto waarop ik zijn exemplaar van *Wit zand* bij het bord 'Witsand' signeer (uiterst postmodern, zegt Loes), en als we een bord passeren met 'Witsand' en 'Vermakelyk' wil Herman ook daar een foto van.

Zondag sta ik vroeg op en loop langs het erg witte strand van Witsand naar de monding van de Breede Rivier. Walvissen wuiven met hun staart alsof ze me dag komen zeggen en voor ik het weet begin ik te huppelen en te dansen. Al dat moois voor mij alleen. Voor mij en de walvissen.

1 City Tours is het bedrijfje van Paula, die met een lening een minibusje heeft kunnen kopen waarmee ze toeristen het andere Kaapstad laat zien, het Kaapstad dat niet op de plattegrond van de stad staat want de straten in de townships hebben geen naam. De eerste township die we zien, bestaat niet meer. District Six ligt vlak bij de Grand Parade en het vroegere stadhuis, op het balkon vanaf waar Mandela na zijn vrijlating de bevolking heeft toegesproken. Vroeger woonden in District Six zwart, blank en kleurling door elkaar, maar de regering vond dat de zwarten elders moesten gaan wonen en toen dat niet lukte, werd op den duur de hele wijk maar platgewalst. Het land ligt nog altijd braak, maar, zegt Lunga, onze gids, er zullen binnenkort nieuwe huizen worden gebouwd en die gaan eerst naar de mensen die destijds zijn verjaagd.

Hoe zullen ze die opsporen? vragen we.

Er bestaan lijsten, zegt hij vol vertrouwen.

Langa is de oudste township van Kaapstad en Lunga is er opgegroeid, niet in een hut of *shack* of *pandokkie* (het Maleise woord voor 'hut' dat in het Afrikaans is overgenomen) maar in een stenen huis. Niet iedereen in een township is arm en niet iedereen woont in een shack. Sommige townships, of stukken township zijn *serviced* – er is water en elektriciteit – andere niet. Serviced betekent meestal dat de regering op een stuk land betonnen hokjes heeft neergezet met daarin een wc en buiten aan de muur een kraantje. Zwarte Afrikanen vinden het vies als je wc binnen in je huis staat en bouwen met alle mogelijke en onmogelijke materialen hun huizen in de buurt van die wc's.

Lunga neemt ons mee naar een van de beruchte hostels, die ooit gebouwd werden voor de mannen die in Kaapstad werkten terwijl hun gezin in de thuislanden bleef. Ooit sliepen in elke kamer drie mannen, maar nu zijn dat drie gezinnen. Mamphela Ramphele, de deputy vice-chancellor van UCT én vriendin van Steve Biko, heeft er een boek over geschreven, *A bed called home*. In de woonruimte van de hostel liggen opgerolde matrassen tegen de muur want ook hier wordt geslapen. De huurprijs voor een bed bedraagt zes rand, ongeveer zestig Belgische frank. Voor water en elektriciteit moet elk gezin vijfenveertig rand betalen. De regering heeft alle achterstallige huur kwijtgescholden, maar nu eisen kleurlingen en arme blanken compensatie. Het is, zeggen ze, alsof de zwarten beloond worden voor de huurboycot en wij gestraft omdat we wel betaalden.

Lunga toont ons oude containers die als klaslokaal fungeren. Het 'dak' van de meeste containers is lek en de banken zijn kapot. Er spelen kinderen maar van hun leraren is er geen spoor. Misschien zijn ze naar een vergadering, zegt Lunga vaag.

Khayelitsha, de grootste en jongste township van Kaapstad, is het geesteskind van P.W. Botha, die de *squatters* van de township Crossroads ernaar toe wilde lokken. Squatters zetten hun shacks neer in gebieden die niet 'geserviced' zijn. De squatters bleven in Crossroads, maar er kwamen andere mensen en intussen dijt Khayelitsha uit tot ver buiten het gebied met de betonnen wc-hokjes. Dag en nacht branden de lampen van hoge pilonen. De een zegt dat de inwoners zelf om die 'verlichting' hebben gesmeekt omdat er zoveel criminaliteit is, maar de ander beweert dat de politie de mensen wil intimideren en dat er hoe dan ook met het geld voor de pilonen in alle shacks elektriciteit had kunnen worden aangelegd.

Men schat dat er in Khayelitsha tweeëneenhalf miljoen mensen wonen, maar geen mens weet het zeker. Kinderen hollen naar ons, bedelen om snoepjes die we niet hebben. De mensen die hier wonen hebben voor Mandela gestemd en Mandela heeft hun huizen beloofd. Geen wc-hokjes maar huizen. In vijf jaar zouden er anderhalf miljoen huizen moeten worden gebouwd. Voor de verkiezingen ging het gerucht dat iedereen die in een shack woonde van Mandela een huis zou krijgen. Nancy, de schoonmaakhulp van Rolf en Loes die in een huis woont, wilde zo'n kans niet aan haar neus voorbij laten gaan en begon een shack te bouwen. Met tralies voor het ene raam, zegt Loes, al stond er niets in.

Hoe kan iemand uit de township ontsnappen? vraag ik aan Lunga.

Even hoop ik dat hij zal zeggen: Door een goede opleiding. Maar hij zegt: Met geld. 'Bucks,' zegt hij. 'All you need are bucks.'

Of hij denkt dat het kan worden opgelost?

Nee, zegt hij. Het zal gedeeltelijk worden opgelost. Misschien.

Ik lees *Poppie*, de Engelse vertaling van de Afrikaanse bestseller *Die swerfjare van Poppie Nongena* (1978). Poppie was de bediende van de schrijfster Elsa Joubert, die haar verhaal heeft genoteerd. Poppie werd geboren in 1936 en heeft het allemaal meegemaakt: de pasjeswet, de gedwongen verhuizing naar de thuislanden, de opstanden en het geweld in de townships. Maar vooral heeft ze de oude gebruiken en tradities teloor zien gaan. Hoe konden de kinderen nog respect hebben voor hun ouders, schrijft ze, nadat ze hen door de politie hadden zien afranselen?

Daarna lees ik *Waiting for the barbarians* (1980) van J.M. Coetzee, een wanhopig boek over domheid, onverschilligheid, angst en macht; een boek dat alleen in Zuid-Afrika kan zijn geschreven. De slotzin biedt geen greintje hoop: 'Like much else nowadays I leave it feeling stupid, like a man who lost his way long ago but presses on along a road that may lead nowhere.'

Grahamstown, een koloniaal ogend stadje duizend kilometer ten oosten van Kaapstad, heeft niet alleen Botanical Gardens, een St George and Michael Cathedral, een Canterbury House en een Albany Museum maar ook een township, een kleintje, met naar schatting zeventigduizend mensen. Hij ligt strategisch op de heuvel zodat er in heel Grahamstown geen straat of hoek is waar je hem niet ziet. Etienne van Heerden, die hier woont, noemt de township het onderbewustzijn van de stad, en Kaia, zijn vrouw, zegt: Ik begrijp niet dat ze niet allemaal naar de stad marcheren en onze huizen opeisen.

Rhodes University, waar Van Heerden Afrikaans doceert, ligt pal tegenover de township. Het departement drama voert er op zaterdag toneelstukken op, en de mensen van wiskunde en Engels geven er bijles, maar er is meer nodig dan liefdadigheid en vrijwilligerswerk. Nog geen week geleden was er een mars uit de township naar de universiteit. Ze eisten onderwijs: 'The doors of education shall be opened.' De vergaderingen over de toekomst van de universiteit zijn oeverloos: moet de universiteit een 'technicon' worden (een soort hogere beroepsschool) die mensen een praktische opleiding geeft, of moet ze blijven wat ze is? De voor de hand liggende oplossing zou zijn dat er een nieuwe school wordt gebouwd naast de bestaande universiteit, maar daarvoor is er geen geld.

Zuid-Afrika is toch rijk, zeg ik.

Was rijk, zegt Van Heerden. Sinds de oorlog met Angola zijn de geldkoffers leeg.

Toch heeft het ANC de salarissen van de ministers en volksvertegenwoordigers verdubbeld. Mandela verdient per maand 57.000 rand, De Klerk 50.000 rand, ministers 39.000 rand en volksvertegenwoordigers 16.000 rand. Het salaris van een verpleger, leraar of politieagent ligt gemiddeld tussen de 1.700 en de 2.700 rand. Bisschop Tutu heeft fel naar de regering uitgehaald vanwege deze 'gravy train', de trein naar de vleespotten (*gravy* is vleessaus) van het parlement, maar *ubuntu*, elkaar helpen, is een van de belangrijkste Afrikaanse tradities. Het betekent onder andere dat studenten voor elkaar essays schrijven en niet inzien waarom dat niet mag, en dat wie een salaris heeft zijn hele familie over de vloer krijgt en genoeg moet zien te verdienen om zijn aanhang te onderhouden. Maar het betekent ook dat je je oude ouders niet in een tehuis stopt.

De Van Heerdens hebben onlangs tralies voor hun vensters laten aanbrengen en afgelopen week nog betrapten ze een inbreker op het dak van hun veranda.

Toch is Van Heerden optimistisch. Het zal lukken, zegt hij, want het moet lukken. Ik hou verdorie te veel van dit land.

Als we terug zijn in Kaapstad vertelt Loes dat op uwc het onderhoudspersoneel actie voert. Ze hebben alle vuilnisbakken omgekieperd en nog extra containers met vuilnis aangevoerd. Daarna hebben ze op al die troep de brandblusapparaten leeggespoten.

Wat willen ze? vraag ik.

Geld veronderstel ik, zegt Loes en ze haalt haar schouders op.

Wonderen der natuur

Nergens ter wereld is de natuur zo schoon als in de Verenigde Staten van Amerika. Ze is afgebakend, gecatalogiseerd, gewied, ontluisd. De vraag dringt zich op of ze echt is.

De eerste keer dat ik dit denk ben ik in een tuin in Snowmass Village bij Aspen, Colorado, het Zwitserland van West-Amerika, waar rijke en heel rijke mensen wonen. Later komt dezelfde gedachte bij me op in Grand Teton National Park en opnieuw in Yellowstone National Park. Als ik in Grand Teton een jongetje aan zijn moeder hoor vragen om hoe laat de waterval die hij heeft staan bewonderen wordt afgezet, besef ik dat ik niet de enige ben die de echtheid van de Amerikaanse natuur in twijfel trekt.

Mijn 'Europese' natuur is vuil. Ze is uiteraard vervuild, maar hier bedoel ik dat je er vuil van wordt: grasvlekken op je kleren, aarde onder je nagels, schrammen op je armen, een laag stof op je huid. Toen ik vroeger met de scouts ging kamperen, gaf mijn moeder me oude kleren mee die ze na afloop van het kamp weggooide. Ze kreeg ze toch niet meer schoon in de was. Maar de Amerikanen lopen in hun National Parks rond in witte T-shirts, witte bermudashorts, witte loopschoenen, witte kousen. Een beperkte mate van vuil-heid, van gebruikt-heid associeer ik met gezelligheid, met warmte. In Snowmass Village stop ik verrukt de auto als we voorbij een vervallen stal rijden. Eindelijk iets ouds! Iets versletens!

Vorig jaar nog had de bewuste tuin in Snowmass Village een waterval die daadwerkelijk kon worden aan- en afgezet. Water klaterde uit een hoger gelegen kleine vijver in een grotere, en werd dan weer omhooggepompt. Of de pomp stuk is gegaan weet ik niet, maar dit jaar stond de hogere vijver leeg en was er dus ook geen waterval of bergrivierengeklater. Toen we aankwamen lag de tuin grotendeels braak. Allebei de vijvers waren leeg, de bloembedden waren omgespit, het vroegere gazon was een kale aardvlakte. Een week later was de aanleg van de nieuwe tuin voltooid. Bijna volgroeide espebomen – *aspen trees* – werden met een vrachtwagen aangevoerd en geplant waar de tuin de glooiing van de helling volgt. Op instructie van de landschapsarchitect werd in dit espeboombos tussen twee rotsblokken een dode boom geplant om de indruk te wekken dat de rots door de boom was gespleten en de boom dan weer door gebrek aan plaats was gestorven. Er werd cement gegoten tussen de twee rotsblokken en daarin werd de dode boom stevig neergepoot. Met afgeplatte witte rotsstenen werd in het bos een pad aangelegd dat langs de dode boom naar een 'sitting boulder' voert, een rotssteen die zo gevormd of gehouwen is dat hij als het ware een natuurlijk zitje biedt. De volgende dag bezette een schoonmaakploeg de tuin en stoomde de stenen op de bodem van de vijvers en de vroegere waterval schoon. Deze firma werkte onder het motto: 'You get it dirty, we get it clean!' Daarna waren de tuinmannen weer aan de beurt. Ze plantten een rij struiken om de huizen beneden in het dal aan het oog te onttrekken, legden tussen de struiken 'tegels' met wilde bloemen, en ontrolden lappen volgroeid Kentucky Blue Grass alsof het een tapijt betrof. Het nieuwe gazon werd omrand met een boord keien waartussen bloemen werden geplant. Op de laatste dag werd de grote vijver met schoon water gevuld, de kleine bleef leeg. De landschapsarchitect zag dat het goed was en reed weg.

De tuin in Snowmass Village is een van de mooiste plekken op aarde die ik ken. Hij ligt op een bergflank in de Rocky Mountains, die er de schitterende en dramatische achtergrond van vormen. Op sommige avonden kun je de maan in een vreemde omgekeerde zonsondergang van achter de bergkam omhoog zien klimmen. De bergen die links van de tuin liggen zijn niet bebouwd. De verste lijken blauw. Wie wegkijkt van de bergen naar de tuin, ziet bloemen tussen de rotsstenen bij de vijvers, bloemen in korven aan de dakgoot, bloemen in bakken op de tuintafel, bloemen aan de rand van het Kentucky Blue Grass. Kolibries vliegen af en aan, gelokt door het honingwater in de drinkbakjes die tussen de manden met bloemen aan de dakgoot zijn opgehangen. Als ik onnadenkend onder een drinkbak ga zitten, word ik door heftig gezoem weggejaagd.

Dit is mijn Tuin van Eden. Het is een van de weinige plekken op aarde waar ik geen nostalgie ken: ik wil alleen maar hier zijn, ik denk aan geen toekomst of verleden. Maar hoeveel heeft deze gearrangeerde, schoongestoomde tuin met natuur te maken? En hoe echt is het uitgerolde Kentucky Blue Grass-tapijt? Anders dan bijvoorbeeld in een Engelse tuin mogen de bloemen hier niet door elkaar groeien, want keien en manden houden ze van elkaar gescheiden. Er mogen geen mos of kroes of wieren in de vijver, de stenen moeten mooi wit schitteren in de zon. Een dikke laag vernis verhindert dat het hout van de tuinbanken in de zon of de regen verweert. Omdat ik getuige ben geweest van de zorgvuldige aanleg van de tuin, is het moeilijk te vergeten hoe artificieel hij is. Omdat ik weet dat de rotsstenen bij de vijver zijn schoongemaakt, ga ik me afvragen of het in theorie mogelijk zou zijn de matten Kentucky Blue Grass terug te rollen om de aarde eronder een beurt te geven. Hoe ver kunnen schoonmaakmanie en perfectiedrang worden gedreven? Iedere nacht om vier uur komen buizen uit de grond die aan periscopen doen denken, maar het zijn sproeiers. Een halve meter onder de grond zit een uitgebreid irrigatiesysteem. Zonder dat had je onder de blakende zon van Colorado geen bloemen, geen Kentucky Blue Grass, geen tuin. (Het zou een mooie eerste zin zijn, denk ik: 'At night the sprinklers come on', maar in het Nederlands werkt hij niet. Er zou een verhaal uit kunnen groeien over slapeloosheid, vage onrust. Het hoofdpersonage ligt alleen in bed, wacht op iemands thuiskomst, weet niet of het zin heeft te wachten, hoort nacht na nacht die verdomde sproeiers, maar geen wagen op de oprit, geen sleutel in het slot.)

Natuur is iets waaraan ik beelden ontleen voor verhalen. (Naar mij is verteld kan je nachtrust in Aspen ook worden verstoord door een hert dat met zijn gewei tegen de ramen tikt, of door een beer die de tuinmeubelen omverloopt, dus zou ik mijn eenzame man of vrouw nachtelijk bezoek kunnen laten krijgen van een beer. En de maan zou ik ook kunnen laten optreden, de eenzame man of vrouw berekent de duur van de afwezigheid van de geliefde in termen van de maancyclus. Vijf volle manen wacht ik al op hem of haar, vijf keer heb ik de volle maan boven de bergkam zien klimmen, et cetera et cetera). Ik kijk ook graag naar natuur – in Aspen brengt de Gondola, een erg luxueuze kabelbaan, je naar de top van de Mount Aspen, waar je vanaf een prachtig zonneterras de bergketen aan de overkant kunt bewonderen. Toen ik er was speelde een kwartet lieflijke muziek, zodat het leek of daar bijna op het dak van de aarde een mis werd opgedragen ter ere van de glorieuze schepper van al dit moois. Vaag verwachtte ik een gastoptreden van de Von Trapp-familie. En uiteraard maak ik graag een wandeling in de natuur, zelfs een fikse wandeling, zeker als er halverwege of bij het eindpunt een leuk café is neergezet. Jaren van stadsleven hebben van mij een onverbeterlijke mutant gemaakt voor wie de natuur niet langer haar natuurlijke omgeving is. Maar in de westelijke staten van Amerika word ik getroffen door een andersoortige vervreemding, niet een op veilige afstand houden van de natuur, maar een combinatie van hoge appreciatie van de natuur en bedilzucht, controledwang. Mijn tuin in Snowmass Village is daar een onschuldige uiting van, maar de manipulatie van de natuur raakt fundamentele aspecten van de Amerikaanse samenleving. In de vele National Parks van het westen wordt de natuur gebruikt – of misbruikt – als een van de pijlers waarop de Amerikaanse identiteit is gebouwd.

Een bezoek aan een National Park heeft veel weg van een obligate pelgrimstocht. Het is een daad van amerikanisme. Je bent pas echt een Amerikaan als je bijvoorbeeld de geiser Old Faithful in Yellowstone Park hebt zien spuiten. Deze indruk wordt bevestigd door het hoge aantal baby's dat op de rug of op de arm wordt meegesleurd. Hier krijgen ze hun Amerikaanse doop. Er konden vele Operation Desert Storm-petten worden geteld, en ook sweatshirts met in trotse letters SUPPORT OUR TROOPS. Een aantal beschermde natuurgebieden wordt 'national monuments' genoemd, en natuurlijke bezienswaardigheden zoals een ongewoon gevormde rots of een diepe canyon heten vaak Independence Rock of Liberty Canyon. De natuur is een monument, niet ter ere van zichzelf of haar schepper, maar ter ere van de Amerikaanse natie.

Wie een National Park betreedt, krijgt een folder met een plattegrond en een beknopte historische schets. Geschiedenis blijkt een fundamenteel instrument bij het definiëren van de Amerikaanse identiteit als vrijheidslievend, ondernemend, individualistisch. De folder die in Dinosaur Park wordt uitgedeeld, geeft weinig informatie over de dinosaurussen, maar wel over 'the brave men and women who discovered the bones of the dinosaurs and fought to have the park preserved as a monument' et cetera et cetera.

Die preoccupatie met geschiedenis merk je overal in het westen. Als we in het onooglijke Kaycee gaan eten, een stadje in Montana dat flink op weg lijkt een *ghost town* te worden, krijgen we in het restaurant als tafelmatje een krant met overdrukken van verhalen en advertenties die tussen 1916 en 1925 in de plaatselijke pers zijn verschenen. Op het binnenblad is het menu afgedrukt, en in het hoofdartikel op de voorpagina wordt kort de geschiedenis van de streek geschetst met anekdotes over paardendieven, en over vetes tussen veeboeren en schapenhouders. Kaycee trok nogal wat outlaws aan omdat in de buurt een natuurlijke schuilplaats werd geboden door de Hole-in-the-Wall, waar volgens mijn tafelmatje ook Butch Cassidy en de Sundance Kid gebruik van zouden hebben gemaakt. Op onze hotelkamer in Livingston, een stadje ten noorden van Yellowstone, ligt een soortgelijk krantje. Hier hebben dan weer Calamity Jane en Liver Eating Jack gewoond, zodat er in het stadje een Calamity-Jane-Look-Alike-contest wordt gehouden en er ook een Calamity Jane Hamburgertent is. De hoofdstraten van Livingston zijn afgesloten omdat Robert Redfords produktiemaatschappij – Sundance – er aan het filmen is. Livingston wordt regelmatig als filmset gebruikt omdat het straatbeeld er nauwelijks veranderd is sinds het begin van deze eeuw. Het westen is trots op zijn geschiedenis, op de heroïek van outlaws en paardendieven, de romantiek van cowboys en ranchers. Maar waar zijn de Indianen? In alle krantjes, boekjes en foldertjes die we onder ogen krijgen, lezen we over gesteenten, over aardverschuivingen, over dinosaurussen, over bomen, vogels, mineralen, algen, geisers, trappers, bizons, maar geen woord over de Indianen. De stilte wordt overdonderend.

Vorig jaar vierde de National Park Service zijn vijfenzeventigste verjaardag, maar Yellowstone bestaat al vierenveertig jaar langer. In 1872 werd het officieel het eerste beschermde natuurgebied van de Verenigde Staten. Als we het park binnenrijden krijgen we twee krantjes: *Yellowstone Today* en *Yellowstone Yesterday*, het laatste met de onvermijdelijke historische anekdotiek en bijzondere aandacht voor de evolutie van de dierenpopulatie. De eland maakt het goed – er zijn er nu ongeveer evenveel als bij de oprichting van de National Park Service in 1916 – en er zijn honderd keer zoveel bizons als toen. Ook het aantal coyotes en bergleeuwen neemt toe, maar wolven zijn al lang niet meer gesignaleerd. Indianen blijkbaar ook niet. De folders die worden verkocht bij het begin van elke trail, een pad dat leidt langs geisers of langs putten met borrelende modder of water, bevestigen dit beeld: het park is 'ontdekt' in het begin van de negentiende eeuw door blanke jagers en trappers. Voordien bestond het blijkbaar niet of had het alleszins geen vermeldenswaardige geschiedenis. Dus verneemt de bezoeker niets over wat die indrukwekkende natuurfenomenen voor de Indianen betekenden. Speelden ze een rol in hun religie? Kenden ze er bovennatuurlijke kracht aan toe? De nomenclatuur in het park is erop gericht de natuur te desacraliseren, te ontmythologiseren.

Namen als Paint Pots, Old Faithful, Inspiration Point, Artist's Point, West Thumb, Grand Teton – grote tepel – werken recupererend en neutraliserend. Ze zijn geen uiting van ontzag maar van familiariteit. Bezienswaardigheden zijn ook vaak genoemd naar hun 'ontdekker' – Colter Bay, bijvoorbeeld – of naar een Amerikaanse president – Tower Roosevelt. Buiten het park liggen Shoshone National Forest, Wapiti Valley, Crazy Creek, en mogen de namen dus wel aan de Indianen herinneren. Op een hotelkamer in Grant Village Lodge bij het Jackson Lake, het grootste meer van Yellowstone, vind ik eindelijk in een folder een schuchtere verwijzing naar de Indianen. De meeste Indianen, lees ik, trokken alleen maar door het gebied dat nu Yellowstone Park vormt, met uitzondering van de Shoshone of Sheepeaters, die er ook woonden. In 1871 verlieten ze echter de streek en vestigden zich bij hun stamgenoten buiten het park. Nou, dat kwam goed uit, want in 1872 werd toevallig het park opgericht! Het eufemistische taalgebruik is huiveringwekkend: 'These Sheepeaters remained in the park in small encampments until 1871, when they joined their kinsmen on the Shoshone Wind River Reservation.' *Joined.* Welke betekenis dekt dit woord?

Op zoek naar Indiaanse geschiedenis rijden we naar de Crow Indian Reservation in Montana en het Custer Battlefield National Monument. In het museum bij het slagveld wordt met soortgelijke eufemismen aangegeven dat Custers nederlaag in 1876 op de Sioux en de Cheyennes meedogenloos werd gewroken. 'As the Indians were driven to the reservation, their former lands received new inhabitants. By 1880, white men brought their families into Montana Territory.' *Received.* Zo elegant. Zo vredig. Custer Battlefield National Monument krijgt binnenkort een andere naam en zal in de toekomst Little

Big Horn National Monument heten. Er komt dan waarschijnlijk ook een monument voor de gesneuvelde Sioux en Cheyennes. Dat is in Washington beslist, maar Montana vergeet Custer niet. Er liggen nog vijf lappen Custer National Forest, er is een stadje Custer en in elk winkeltje worden boeken over hem en de fatale veldslag verkocht.

Amerika heeft reservaten en National Parks. Dor, onvruchtbaar, onherbergzaam land is reservaat. De interessante, spectaculaire natuur is National Park. Hiermee identificeren de blanke Amerikanen zich. Hier ligt hun identiteit, hun geschiedenis. De impliciete boodschap is toch dat God al dit moois geschapen heeft voor de blanke Amerikanen, tot hun meerdere eer en glorie. *This land is your land*. In Yellowstone zie je nauwelijks een gezicht dat niet blank is. De Aziaten die er rondlopen zijn negen kansen op tien Japanse toeristen. Als je je aansluit bij de stoet bezoekers die naar Old Faithful trekt en de geiser eindelijk ziet spuiten, ligt de parallellie met de lancering van een raket voor de hand. Een, twee, drie, daar gaat hij! Hetzelfde machtsvertoon, dezelfde drang om de beste, de hoogste, de krachtigste te zijn. De cowboy als veroveraar van het westen wordt voorgesteld als de prototypische Amerikaan. Hij is een individualist die overleeft dank zij zijn sluwheid, inzicht, doorzettingsvermogen. Ook in New York worden cowboylaarzen gedragen. Maar hoe individualistisch zijn deze mensen die allemaal dezelfde kleren en schoenen dragen, hetzelfde eten vreten, dezelfde programma's bekijken?

Uiteraard kunnen Amerikanen niet voldoende bewonderd en geprezen worden voor hun unieke natuurbeleid. Sinds 1964 zijn er ook *wilderness areas* waar geen wegen worden aangelegd en slechts een handvol mensen wordt toegelaten. In België zijn er ook dergelijke zones waar de natuur ongeremd haar gang kan gaan. Vroeger werd het gras langs de autowegen regelmatig gemaaid maar nu niet meer. Onkruid en wilde bloemen tieren er welig, en vorige lente groeiden voor het eerst in jaren weer papavers langs Vlaanderens wegen. Voor de E19 tussen Brussel en Antwerpen werden ooit acht baanvakken gepland. Bedoeling was dat op de twee middelste baanvakken geen snelheidsbeperkingen zouden gelden. Het plan werd nooit gerealiseerd, maar de E19 heeft nu de breedste *wilderness area* van België, waaraan tegen honderdtwintig kilometer per uur en meer voorbij wordt gescheurd. Het contrast met de Verenigde Staten is beschamend. Toch erger ik me aan de manier waarop de natuur er wordt gebruikt en misbruikt om de Amerikaanse identiteit te ontwerpen. Hun 'monument and heritage'. Ik kan niet vergeten dat het land niet is geërfd maar gestolen, uitgerekend van een volk dat zijn manier van leven baseerde op diep respect voor de natuur. Ik kan niet vergeten dat dat volk is uitgemoord of samengedreven in reservaten.

En ondanks de negentien miljoen hectaren National Park zijn de Amerikanen meer vervreemd van de natuur dan de Europeanen. De *American way of life* kan zelfs in de meest eufemistische zin niet natuurlijk worden genoemd. Omdat veel wordt nagemaakt, imitatie is, is het onderscheid tussen wat echt is en namaak niet altijd meer duidelijk. Amerika's nationale drank, Coca-Cola, gaat er prat op 'the real feeling' te bieden, maar wat is een echt gevoel? Wat je op tv ziet? Wat acteurs in een film voelen? Wat je voelt als je cola drinkt? En wat is echte melk? Is Lactaid melk? En creamer? Amerika is geobsedeerd door het echte. 'Real' en 'really' zijn de woorden die je het meest hoort in het commentaar dat bij de natuurwonderen in Yellowstone wordt gegeven. 'Wow, this is real, I mean, *really*, wow.' Ergens in de Verenigde Staten, heb ik ooit in een essay van Eco gelezen, staat een driedimensionale Mona Lisa. Die is echter dan het schilderij in het Louvre. Of niet?

Natuurbehoud en de daaraan gekoppelde bewondering voor de natuur zouden moeten resulteren in het nederige besef van de eigen nietigheid, maar hier wordt overmoedig met de natuur geconcurreerd. Amerika streeft naar onafhankelijkheid van de natuur. Alles wat de natuur te bieden heeft kan beter en groter en duurzamer worden nagemaakt. En omdat je in een land bent waar alles wordt nagemaakt, gecontroleerd en gearrangeerd, twijfel je aan de echtheid van de natuur. Is het vulkanische natuurkracht die de geiser doet werken, of wordt hij geleid vanuit een aan het oog onttrokken controlekamer? Is de rots bij de waterval een echte rots of is het een namaakrots waarin de motor van de waterval is verborgen? Is dit, met andere woorden, een National Park of is het Disneyland? Paranoia. Niets is wat het lijkt. Woorden verdringen het echte. Roepen een schijnwerkelijkheid in leven. *Joined. Received.* Ze verhullen, liegen. Thomas Pynchons *The Crying of Lot 49* verwoordt het bange vermoeden dat de Amerikaanse samenleving gebaseerd is op een gigantisch komplot. De burgers worden gemanipuleerd door machtsgeile samenzweerders in Washington. Ze worden naar natuurparken gestuurd die helemaal geen natuurparken zijn, maar kunstig aangelegde pretparken. Er wordt hun liefde voor de natie bijgebracht. Er wordt hun ingeprent dat het goed is voor dit land te leven en te sterven. De Schepper is hun bondgenoot.

De kleur van opgekalefaterd verval

Als ik bezoek uit België krijg, zie ik pas hoe lelijk Berlijn is, alsof ik andere ogen nodig heb, verwende Belgische ogen, om het verval te zien, de afgebladderde gevels, de stukken braakland midden in de stad, de vervuilde metrostations, de bedelaars. Natuurlijk zie ik dat anders ook wel, maar ik noem het geen verval. Of juister gezegd: het verval trekt me aan. Het is een verval dat voortdurend uit zijn eigen as verrijst alsof de bewoners hun bestuurders voor schut zetten: Doen jullie maar. Gooi bommen, bouw muren, sloop muren! Wij blijven hier leven, als het moet bouwen we een tentenkamp midden in de stad.

Vijftig jaar na de oorlog is Berlijn nog altijd een 'zerstörte Stadt'. Geen geld, zegt men me. In het oosten niet, maar ook in het westen niet. De regering in Bonn heeft jaren West-Berlijn in leven gehouden, maar het geld trok weg naar Frankfurt en München. Je zou wel gek zijn geweest als je in Berlijn investeerde.

Berlijn is verrassend onkosmopolitisch. Met Engels kom je hier niet ver. Toen ik op een avond aan een jongen in een *Imbiss* (snackbar) vroeg: 'Do you know where I can find a café called Lipstick?' werd me eerst een pakje koffie ('Kaffee') aangeboden. 'Nein, ich meine ein "Café" Lipstick genannt.' Waarop de jongen een kop koffie voor me inschonk.

De Duitsers tegen wie ik daarover een opmerking maak, zeggen: Maar dit is toch Duitsland. Ja, natuurlijk is dit Duitsland. Maar als dit Duitsland is, is Duitsland niet zoals ik me had voorgesteld. En zeker Berlijn is anders dan ik had verwacht. Had deze stad geen internationale avant-garde? Ja, maar dat was in de jaren twintig. Vandaag maakt de stad een licht provinciale, ouderwetse indruk. In de metrostations worden in aandoenlijke vitrinekasten waren tentoongesteld: een donsdeken, een trouwjurk, boeken, papieren bloemen, zilveren couverts, tuingereedschap. In de Deutsche Oper applaudisseert het ietwat truttig geklede publiek enthousiast voor een totaal voorspelbare, soms bijna boertige uitvoering van *Die Zauberflöte*. Dikwijls waan ik me hier in de jaren vijftig. In trendy jazzkroegen tref je het type dat toen in Parijs het existentialisme bedacht: kort haar, zwarte trui met rolkraag, colbertjasje, bril met zwaar montuur. En er wordt al even roekeloos gerookt als in de jaren vijftig. 'Ich rauche gern' staat op grote affiches in alle metrostations. Ja, lijken de Berlijners te denken, en steken hun zoveelste sigaret op. Er wordt hier voornamelijk voor twee produkten publiciteit gemaakt: voor sigaretten, en voor ondergoed voor mannen. Berlijn hangt vol met rokende mensen en met mooie jongens in onderbroek.

Als mijn vriendin en haar dochtertje zich hebben opgefrist, neem ik hen mee naar Treptower Park, waar vroeger de Spree de grens vormde tussen Oost en West. Nu liggen hier plezierboten aangemeerd waarmee je naar idyllischer oorden kunt varen, weg van de negentiende-eeuwse loodsen, magazijnen en fabrieken aan de overkant. We lopen tot bij een recent gerenoveerde brug die de oever met het zogeheten Insel der Jugend verbindt, een eilandje dat blijkbaar als stort voor steenkoolgruis wordt gebruikt. Verderop liggen verwilderde volkstuintjes, golfplaten hokjes, een stuk met graffiti bekladderde muur waarvan we ons even afvragen of het dé muur zou zijn, maar nee, hij is aan een pissoir aangebouwd, ze zouden toch geen pissoir in de muur hebben gebouwd.

Mijn vriendin begint me te plagen met de desolate plek die ik heb uitgezocht, en we lopen naar het dichtstbijzijnde S-Bahn-station, een blok beton vol graffiti. Treptower Park is natuurlijk geen geschikte plek voor een herfstwandeling, maar ik hoop dat ik deze stad zal gaan begrijpen als ik maar lang genoeg langs haar waterwegen loop, door haar straten zwerf, over haar bruggen stap. Maar toen ik hier in 1982 was, heb ik een hele dag langs de Muur gelopen en begreep ik er nog altijd niets van.

De eerste dagen hier amuseerde ik me met heen en weer te rijden tussen Oost en West. Met bus 100 liet ik me door de Brandenburger Tor rijden, ervoer iets van de uitgelatenheid die de Ossies op 9 november 1989 moeten hebben gevoeld. Maar ik huiverde ook bij de herinnering aan de strenge grenscontrole in 1982. Met het openbare vervoer kon je toen alleen naar Oost-Berlijn via het station Friedrichstrasse. Eerst reed je door spookstations waar grenswachters op de lege perrons patrouilleerden, en daarna werd je in de onderwereld van Friedrichstrasse aan een streng kruisverhoor onderworpen. Ik herinner me vooral de angst dat ze me nooit meer zouden laten gaan.

De muur is gesloopt, de versperringen zijn uit de Spree gehaald, de spookstations zijn opnieuw geopend; er wordt gebouwd, gegraven, gerenoveerd, gerestaureerd. Tussen Friedrichstrasse en Unter den Linden staat een woud van kranen. Renovatie van deze wijk is het urgentst: vroeger werd ze verwaarloosd omdat ze vlak bij de Muur lag, nu is ze het hart van het nieuwe Berlijn, het

Stadtmitte. De Reichstag ligt op een steenworp, en er moeten woningen en kantoren komen voor de ambtenaren uit Bonn, die nog voor het jaar 2000 hierheen verhuizen. Het stadsbestuur ruziet oeverloos over het gezicht van het nieuwe Berlijn. De een wil een moderne stad bouwen, de ander wil het vooroorlogse Berlijn getrouw herstellen. Als het aan de conservatieve vleugel lag, werd op de Pariser Platz achter de Brandenburger Tor het legendarische Adlon Hotel zorgvuldig gereconstrueerd. De Marx-Engels-Platz heeft zijn oude naam, Schloss-Platz, teruggekregen, maar voor sommige bestuurders gaat dat niet ver genoeg. Zij willen het kasteel zelf, dat tijdens de oorlog werd vernietigd, steen voor steen opnieuw bouwen. Bij de Spree Ufer heeft de conservatieve lobby alvast het pleit gewonnen. Als je naar de Nikolaikirche wandelt kom je in een Hansje-en-Grietje-omgeving terecht: een poppenhuis-Berlijn, dat uiterst geschikt is als decor voor de Glühwein-slurpende en Apfelstrudel-etende kerstmarktgangers.

Berlin, Hauptstadt für Deutschland staat overal in Berlijn op grote posters, maar de Berlijners zelf zijn daar niet van onder de indruk. Dit, zeggen ze cynisch, schijnt de hoofdstad te zijn.

Op verschillende plekken in de stad hangt een bord met de volgende tekst: 'Orte des Schreckens, die wir niemals vergessen dürfen: Auschwitz, Stutthof, Maidanek, Treblinka, Theresienstadt, Buchenwald, Dachau, Sachsenhausen, Ravensbrück, Bergen-Belsen.' Bij station Nollendorfplatz is een plaat aangebracht met de woorden 'Totgeschlagen, totgeschwiegen. Den homosexuellen Opfern des Nationalsozialismus', en bij het Pergamonmuseum staat nog altijd de steen waarvan ik in 1982 al een foto heb gemaakt: 'Für immer in Freundschaft mit der Sowjetunion verbunden.'

Bij Potsdamer Platz is een Mauerpark, waar een laatste stuk muur overeind is gebleven, en binnen afzienbare tijd zullen er paaltjes komen overal waar vroeger de Muur liep. Op de plek waar ooit de nazi's hun hoofdkwartier hadden, kun je in een documentatiecentrum, de Topographie des Terrors, de geschiedenis van het nazisme bestuderen.

Vraag is: hoe dikwijls worden de namen van de concentratiekampen gelezen? Hoeveel Berlijners lopen ooit het documentatiecentrum binnen?

'Mijn generatie wil naar de toekomst kijken,' zegt Wolfgang, een architect uit Hannover. 'Wij hebben daar niets mee te maken.'

Uitgerekend op 9 november, de vijfde verjaardag van Die Wende, geef ik mijn lezing in het Literaturhaus. Tot mijn stomme verbazing zit het zaaltje vol. Moet niet iedereen aan de Brandenburger Tor zijn? Na afloop hoor ik dat er bij Checkpoint Charlie, de vroegere grensovergang in de Amerikaanse sector, een groot vreugdevuur zou branden, maar als we er kort voor middernacht aankomen, zien we alleen een grote witte tent waar 'foute' mensen in en uit lopen.

'Bonners,' zegt Olaf, die het gerucht over het vuur had gehoord. Olaf is een jachtopziener in een van de bossen bij Berlijn. Onlangs heeft hij een dode wolf gevonden, die door een auto was aangereden. Nu de grensversperringen tussen Oost en West zijn weggeruimd, komen de wolven terug. Wolven, zegt hij, hebben een collectief geheugen waarin de oude routes zijn opgeslagen.

Of hij bang is voor de wolven?

Wolven zijn schuchtere dieren. Zij zijn bang voor ons.

We lopen naar de tent maar mogen er niet binnen. Niet voor gepeupel, zegt een vrouw in een avondjurk. Ze lacht, maar meent wat ze zegt.

Wat er dan in de tent gebeurt?

Een politicus uit Bonn viert hier zijn verjaardag.

Op 9 november bij Checkpoint Charlie?

Bonn eigent zich Berlijn toe. Verderop staat een limousine fout geparkeerd. Een politieagent houdt een oogje in het zeil. Olaf vloekt. De avond bevestigt wat iedereen vreest: dat in het zog van de regering een legertje politieagenten zal meeverhuizen naar Berlijn. Bonn is bang van Berlijn, zegt Olaf. Ze weten dat men hier in minder dan geen tijd vijfduizend mensen de straat op krijgt om te betogen. Berlijn heeft een anarchistische traditie die ze hopen te breken met videocamera's en ordetroepen.

De volgende dag lees ik in de krant dat ze daar bij de Oberbaumbrücke alvast mee begonnen zijn. Op 9 november werd deze brug over de Spree opnieuw voor het verkeer opengesteld, maar dat was niet naar de zin van de bewoners van de wijk op de westelijke oever, Kreuzberg. Zolang de muur er stond was Kreuzberg een eigenzinnig republiekje voor punkers, kunstenaars, Turken en jongeren die destijds naar West-Berlijn verhuisden omdat ze dan geen legerdienst hoefden te doen. Heel West-Berlijn was trouwens een paradijs voor wie aan het burgerleven wilde ontsnappen. Je hoefde er niet al te hard te werken, je kon er bij wijze van spreken leven in de kroeg, je hoefde het niet te nauw te nemen met afspraken en verplichtingen. De regering was al blij dat iemand in West-Berlijn wilde wonen en werkte met subsidies en beurzen het klimaat van laisser-faire, laisser-aller in de hand. Die jongeren zijn vandaag niet meer zo jong, maar dragen nog altijd hetzelfde uniform: spijker-

88

broek, T-shirt, leren jasje. En ze bewegen zich als jonge mensen, geloven rotsvast dat het voor hen nog allemaal zal gebeuren: kinderen, een echte baan, een huis. Volgend jaar. Of over twee jaar. Of vijf jaar.

Kreuzberg wil Kreuzberg blijven en betoogt tegen het openstellen van de brug voor het verkeer, maar de politie treedt hardhandig op, negen november of geen negen november.

'Zijn we nu in het oosten of het westen?' wil mijn vriendin weten telkens als we uit de diepte van weer een ander metrostation bovenkomen. Toen zij hier in 1990 was, zag je het in een oogopslag aan de auto's en de spijkerbroeken. Vandaag zie ik geen verschil tussen Oost- en Westberlijners, maar de Berlijners zelf beweren dat ze Ossies en Wessies feilloos van elkaar onderscheiden, waarschijnlijk precies zoals wij destijds op onze tweetalige Brusselse school zonder veel moeite konden zien wie Frans sprak en wie Nederlands. Waaraan zag je het? Aan details waar een buitenstaander geen oog voor had.

Ossies, zeggen de Wessies, zijn traag. Ze hebben reglementen nodig en kunnen zelf geen initiatief nemen.

Wessies, zeggen de Ossies, zijn arrogant.

De mensen uit het oosten, zegt Rolf Brockschmidt, hebben gewoon totaal andere ervaringen gehad. Brockschmidt is journalist bij de *Tagesspiegel*, en vertelt over een nieuwe collega van hem die uit het oosten komt. 'Ik dacht dat ze veel ouder was dan ik,' zegt hij, 'maar ze blijkt jonger te zijn. Alleen heeft ze een harder leven gehad. Hier in het westen begint iedereen vrij laat aan een gezin. Ik ben veertig en heb een dochtertje van twee. In het oosten trouwden de mensen vroeg omdat ze dan voor een woning in aanmerking kwamen. Vele huwelijken liepen stuk en dan zaten die jonge vrouwen ergens alleen met een kind op een appartementje. Het was een harder leven, en het is voor hen nog harder geworden. Vroeger hadden die vrouwen tenminste werk, maar nu zijn ze ook dat kwijt.'

De ene Oostduitser met wie ik praat is een verbitterd man. Hij heet Lutz en woont even buiten Berlijn in een huis van glas, waar hij zijn beeldhouwwerken die niemand wil kopen, tentoonstelt. Vroeger werd hij door de Stasi gepest. Als kunstenaar werd hij niet erkend, dus kon hij niet tentoonstellen en ook niet verkopen. Hij mocht zijn dingen maken en dat was het.

'Waarom nam je dan een huis van glas als de Stasi je in het oog hield?' vraag ik.

Hij lacht. 'In de kelder is het niet van glas,' zegt hij sluw.

Vóór 1989 was zijn kunst een daad van verzet tegen het systeem; het was zijn therapie om te overleven. 'Maar waarom zou ik vandaag nog een beeld maken?' zegt hij. 'Ik hoef me nergens meer tegen af te zetten. Wat maakt het uit?'

We kijken naar de ruw gepolijste houten figuren, durven hem niet te zeggen wat we allemaal denken: dat we zo'n beeld niet in huis zouden willen hebben, zelfs niet als we het gratis kregen.

Maar dan is Lutz plotseling opgewekt.

'Jij bent de eerste Belg die ik zie,' zegt hij en hij knijpt even in mijn arm. 'Er zijn hier ook al Zweden geweest,' zegt hij, 'en een vrouw uit Frankrijk.' Hij zegt het vol ontzag, op precies dezelfde toon als mijn grootmoeder wanneer ze over mensen sprak die uit verre vreemde landen kwamen.

Meteen na Die Wende kon het voor de Ossies niet snel genoeg gaan. In één nacht werden alle boeken uit de boekhandels gehaald en vervangen door een westerse voorraad, en ook de Oostduitse levensmiddelen verdwenen uit de winkels en werden door westerse produkten vervangen. Maar vandaag wordt er met een zekere nostalgie over de goeie oude DDR-tijd gepraat. In menig café hangt een portret van Honecker met een rouwbandje. Spottend. Half spottend. Gemeend.

Tien jaar, zegt men, zal het duren vooraleer Berlijn weer één stad is. Vanuit mijn Belgische ervaring ben ik geneigd om het pessimistischer in te schatten. Volgens een enquête in de *Tageszeitung* beschouwt zevenenveertig procent van de inwoners Berlijn nog altijd als twee steden. En tachtig procent gaat regelmatig naar 'de overkant'.

'Zijn we nog altijd in Berlijn?' vraagt Eline, de dochter van mijn vriendin, als we na alweer een rit met de U-Bahn in een ander stadsdeel terechtkomen. Ze is negen, woont in een van de laatste dorpen van België en begrijpt niets van een stad als Berlijn waar geen einde aan komt.

'Waar zijn de koeien?' vraagt ze plotseling.

'De koeien? Er zijn geen koeien in Berlijn.'

'Drinken de mensen hier dan geen melk?'

'Toch wel,' zeg ik.

'En eten ze vlees?'

'Ook.'

Er wonen bijna vijf miljoen mensen in Berlijn, maar geen koeien, en nogal wat van die vijf miljoen moeten zich verschrikkelijk eenzaam voelen, te oordelen naar de talloze contactadressen. Elk tijdschrift en elke krant heeft er een rubriek voor. Bij de plaatselijke *Koopjeskrant* zit een katern *Herzklopfen*; er worden wekelijks feestjes georganiseerd voor 'singles'; tijdens radioprogramma's kunnen mensen bellen en hun erotische of emotionele wensen kenbaar maken.

Maar nog meer dan voor eenzaamheid lijkt iedereen bang voor engagement. Telefoonnummers worden makkelijk uitgewisseld, en misschien belt een van de twee, treft een antwoordapparaat, probeert het geen tweede keer. Er wonen hier ook zoveel mensen, als het met de een niet lukt, lukt het wel met de volgende. Ook hierin blijken Ossies anders dan Wessies. Olaf heeft het in de kroeg met een meisje uit het oosten aangelegd en de volgende dag al belt ze hem. En de dag nadien opnieuw. Hij is tot over zijn oren verliefd, danst door de straat.

'De U-Bahn,' zegt hij me, 'is ook een goeie plek om mensen te ontmoeten.'

'Oogcontact,' zeg ik.

'Ja. Augensex.'

Als mollen graven mijn vriendin, haar dochtertje en ik door de eindeloze metrotunnels van Berlijn. Station in, station uit, perrons, vitrinekasten, trappen, de stad onder de stad. Bedelaars, muzikanten en krantenventers 'doen' ook de metro, rijden met elk rijtuig een halte mee. 'Dames en heren, mag ik even uw aandacht. Ik verkoop *Haz*, het krantje van de daklozen. Het kost twee mark, één mark is voor de verkoper, één mark gaat naar een sociaal project. Ik dank u voor uw aandacht en uw gulheid.' *Haz* heeft een concurrent, *Platt*, een krantje dat drie mark kost. Wie zoals ik iedere dag met de metro rijdt, kent het toespraakje van de verkopers uit zijn hoofd. Bij de uitgang van de meeste stations dreunen de punkers hun monotone verzoek op: 'Haben Sie Kleingeld, bitte?' Je kunt in Berlijn geven en blijven geven.

Als we bij de Kurfürstendamm bovenkomen, zien we mensen bij de rioolputten staan vissen. De ronde deksels zijn van de schachten gehaald en bij elke put staat iemand bloedernstig met een hengel. Wat verder liggen op een tafel palingen van wel een meter lang. SUB CITY FISHING – INTERNATIONAL COMPETITION staat er op een groot spandoek. Dit is een grap, denken we. Er staan vast ergens verborgen camera's opgesteld, die de naïevelingen die hierin trappen, filmen. Maar de vissers doen geen enkele poging om de aandacht van de voorbijgangers te trekken en ten slotte durven we toch aan iemand te vragen of die palingen werkelijk uit de riolering worden opgevist. Ja, zegt de visser, het kanaliseringssysteem in Berlijn is veranderd waardoor er nu ook schoon water in de riolering terechtkomt. Palingen kunnen erin overleven. Iemand haalt voor onze neus een paling op. Water lekt in zwarte druppels van de vis af.

'Kun je die eten?' vraag ik.

'Ik zal het in elk geval niet proberen,' zegt de man. 'Het is gewoon een wedstrijd, een internationale wedstrijd. In Oslo doen ze het ook.'

We duiken opnieuw onder de grond en komen dit keer boven bij de Rosenthaler Platz in het trendy Prenzlauer Berg. We lopen naar de Zionskirche die in de steigers staat. Vroeger was in de kelder van de kerk een illegale drukkerij gehuisvest. De Stasi wist perfect wat er in de Zionskirche gebeurde, maar kerken werden met rust gelaten, al zal de drukkerij wel geïnfiltreerd zijn geweest. Tegenover de kerk ligt een café, Kapelle, vanwaar de Stasi destijds in de gaten hield wie de kerk in en uit ging. Toen de nieuwe eigenaar van het café het pand opknapte, vond hij afluisterapparatuur. Vandaag is Kapelle een gezellig, typisch Berlijns café waar van 's morgens vroeg tot diep in de nacht wordt gepraat, gedronken en gerookt. De muren van deze cafés zijn al fresco geschilderd in okergeel, oudroze, zeegroen of helblauw, de kleuren

van het opgekalefaterde verval. Wat verder ligt de drie-
hoekige Käthe-Kollwitz-Platz en tref je ze opnieuw aan:
leuke kroegen, ateliers en theaterzaaltjes in donkere,
vervallen panden.

Over tien jaar bestaat dit Berlijn niet meer. Het zal
zijn gerenoveerd, gerestaureerd en opgepoetst. Berlijns
anarchistische scene zal elders moeten neerstrijken of
opduiken, waar valt niet te voorspellen. Tacheles in de
Oranienburgerstrasse zal zijn gesloopt. *Tacheles*, ooit
een grootwarenhuis, is nu een cultureel centrum met een
tentoonstellingsruimte, ateliers voor kunstenaars en
concertzalen. De objecten op het stuk land achter Tacheles heten kunst, maar lijken schroot. Toch moet je ernaar gaan kijken om de kapotgeschoten achtergevel te
zien. Een aantal kamers zijn gapende gaten: de buiten-
muur is weg.

'Geil!' roept Olaf en schopt tegen een roestig voor-
werp. 'Ganz geil.'

Vroeger was het oorlog, zegt hij. Nu is het kunst.

En: waar ter wereld kun je nog zulke beelden zien?
Toch niet in Antwerpen?

Het was pas Allerzielen geweest en het café van Tacheles was versierd met de dansende, etende en lachende
geraamtes van het Mexicaanse Dodenfeest. Een passen-
der beeld voor Berlijn bestaat er niet: ook hier danst en
lacht men op het graf van de DDR en van de koude oorlog. Want wat kun je anders doen dan lachen? De geschiedenis is een cynische grap, een absurde verspilling
van energie. Het gebouw bij Bahnhof Friedrichstrasse
heet nu TRÄNENPALAST en wordt als concertzaal gebruikt. De akoestiek is pover maar het decor volstrekt
uniek. De bordjes zijn blijven hangen (AUSREISE FÜR
BERLIN-WEST, et cetera) en in de vroegere Wechselstelle
worden nu bier en popcorn verkocht. Hier moet ik dus

94

twaalf jaar geleden geweest zijn, hier was ik bang dat ze me er niet meer uit zouden laten, maar nu staat iedereen te dansen op de muziek van Sheila E. Plotseling moet ik denken aan Mozes die ik in het Literaturhaus heb ontmoet, en die me vertelde over zijn twee mislukte ontsnappingspogingen uit de DDR. Na vier jaar gevangenis hebben ze hem in 1981 uiteindelijk het land uitgezet. Ik haat ze, zei hij.

Waarom was hij dan teruggekomen?

Voor de taal.

Hij proefde de drie woorden bijna wulps. Für die Sprache.

Na het concert lopen we langs het woud van kranen naar de auto. 'We gaan ruilen,' roept Olaf luid. 'Alle Ossies naar het westen en alle Wessies naar het oosten.' Hij lacht luid en schopt tegen een bloembak. Dan is hij plotseling treurig. 'Ik wil een gezin,' jammert hij. 'Waarom heb ik geen gezin?' Hij slaat zich op de borst, acteert wanhoop. 'Ik heb geborgenheid nodig. Waarom is de muur gesloopt? Gorbatsjov, waarom heb je me dat aangedaan? Geef me opnieuw grenzen, geborgenheid! Zonder grenzen ben ik verloren!'